La bottega
dell'italiano

Rosangela Verri-Menzel

LA BOTTEGA DELL' ITALIANO

Antologia di scrittori italiani del Novecento

4ª edizione

Bonacci editore

Bonacci editore
Via Paolo Mercuri, 8 - 00193 Roma
(ITALIA)
Tel. 06/68.30.00.04 - Telefax 06/68.80.63.82

ISBN 88-7573-205-1

58/99

Maccari

Indice
dei brani e degli intermezzi letterari

(Fra parentesi viene indicato brevemente il tema principale del brano)

Prefazione

Due parole ai colleghi che decideranno di lavorare con questa antologia:

— L'idea di questa antologia si basa sulla reale necessità di avere del materiale nei corsi di pre-conversazione e di conversazione che permetta di passare agevolmente dalla lettura alla conversazione libera.

— Viene così offerta al discente una ricca panoramica letteraria del Novecento italiano che non ha la pretesa né di essere completa né tantomeno cronologica.

— Sono brani di autori contemporanei ordinati per grado di difficoltà, da quello medio-facile a quello complesso-letterario, che offrono lo spunto per parlare di temi sempre attuali come la famiglia, la professione, il rapporto uomo-natura e l'importanza delle lingue straniere ai giorni nostri.

— Prima di venire pubblicato, questo materiale è stato provato in classe, con un corso della Volkshochschule di Monaco di Baviera, livello intermedio.

Nei vostri corsi vi auguro lo stesso successo e la stessa soddisfazione che ho provato io. Cordialmente,

Rosangela

Introduzione

LE PAROLE

Abbiamo parole per vendere
parole per comprare
parole per fare parole
ma ci servono parole per pensare.

Abbiamo parole per uccidere
parole per dormire
parole per fare solletico
ma ci servono parole per amare.

Abbiamo le macchine
per scrivere le parole
dittafoni magnetofoni
microfoni telefoni.

Abbiamo parole
per fare rumore,
parole per parlare
non ne abbiamo più.

GIANNI RODARI
da *Il secondo libro delle filastrocche*
Einaudi, Torino 1985

• Tanto per cominciare:

Avete letto questa filastrocca o breve poesia di Gianni Rodari?

Bene, quali sono le *parole per vendere* che vi vengono in mente?

E quelle *per amare*?

E ditemi, sapete che cos'è *un dittafono* e un *magnetofono*?

E a cosa servono i *microfoni* e dove li troviamo, in quali apparecchi, in quali locali...?

• Scusi, signora non ho capito bene! Che cosa stava dicendo alla sua vicina di banco? Che anche lei non ha mai parole per parlare in italiano... che è sempre lo stesso: quando sono in Italia per capire capisco, e capisco anche molto, ma parlare, parlare... *that's the problem*!

Eh sì, questo è davvero il nostro problema nei corsi di italiano. Ma questa antologia è stata prorio concepita per farvi parlare!
Vogliamo provare se funziona? Allora lavoreremo in questo modo:

1° Leggeremo il brano di uno scrittore italiano
2° Faremo esercizi del tipo:
- domande al testo
- riesposizione o riassunto del racconto
- parliamo di...
- chieda al suo vicino di banco...
- con un po' di fantasia descriviamo... ecc.

3° Le notizie letterarie potranno soddisfare la nostra sete di sapere: Chi è l'autore? Dove è nato? Che cosa ha scritto e quando?
4° Le pagine dedicate al glossario saranno un aiuto per poter capire meglio il testo letterario e anche per ampliare il vostro vocabolario attivo.

Di tanto in tanto avremo modo di leggere una poesia o una favoletta allegorica, perché vogliamo imparare ridendo o, se ho esagerato, comunque sorridendo!

- Allora, tutti pronti per lavorare

  nella ***Bottega dell'italiano*** ?

Buon lavoro e buon divertimento.

Ecco il primo racconto:

Antonio Amurri

NON-DRAMMA CASALINGO

(*La scena rappresenta una tavola apparecchiata*)

Lui — (*sgranocchiando qualcosa*) Dove hai trovato queste cosette croccanti? Sembrano patatine. Però a guardarle bene non sono patatine. Cara, che cosa sono?

Lei — (*arrivando con la zuppiera*) Le non-patatine.

Lui — Non-patatine? E che cos'è la non-patatina?

Lei — È l'ultimo grido in fatto di pubblicità alle patatine, capisci?

Lui — No. Però adesso mangiamo. Cos'è, minestra?

Lei — Assaggia...

Lui — (*dopo la prima cucchiaiata*) E questa me la chiami minestra?

Lei — Infatti non è una minestra. È una non-minestra.

Lui — Una non-minestra?

Lei — Certo, una minestra diversa dalle solite.

Lui — È talmente diversa che non mi piace. Passiamo al secondo. Cos'è?

Lei — Una non-bistecca.

Lui — Ho capito. Se non è bistecca, sarà pesce.

Lei — No. È la non-bistecca. Il non-pesce è per stasera.

Lui — Scusa, ti sei data alla cucina orientale?

Lei — Perché?

Lui — Non ti sarai fatta influenzare dai «Nô» giapponesi che abbiamo visto alla TV...

Lei — È una cucina moderna, al passo con la pubblicità. Praticamente è una non-cucina.

Lui — Me ne sto accorgendo!

Lei — Con la non-bistecca cosa ci vuoi di contorno? La non-insalata o i non-spinaci al burro?

Lui — Ci vorrei un po' di sì-cicoria! E come frutta, un sì-arancio.

Lei — Peccato, perché avevo già preparato un non-pompelmo.

Lui — Non mi dire che hai comprato anche un non-dolce!

Lei — Certo!

Lui — Basta, la pazienza ha un limite! Non-sopporto! Dov'è il telefono?

Lei — Al suo posto, caro.

Lui — (*dopo aver composto un numero*) Pronto? Come sta? Che ne direbbe di venire a pranzo con me, subito? Le va? A fra poco, vengo a prenderla...

Lei — A chi telefonavi?

Lui — Alla mia non-segretaria. Ciao!

Lei — Dove vai, aspetta... Fermati!

(*Un tonfo sordo*)

Voce di lui — (*dalla tromba delle scale*) Me lo potevi dire che avevano messo il non-ascensore!

da *Come ammazzare la moglie, e perché*
A. Mondadori, Milano 1974

- Che cosa vuol dire...?
  (cerchiamo di spiegarlo in italiano con parole o espressioni sinonime)

apparecchiare
sgranocchiare
croccante
farsi influenzare da
al passo con
accorgersi
sopportare
comporre un numero (al telefono)
tromba delle scale

- Domande relative al testo:

1. Che cosa è la non-patatina?
2. Che menù ha preparato lei?
3. Si è data alla cucina orientale?
4. A chi telefona il marito?
5. Come finisce il non-dramma casalingo?

- Riesposizione del testo:

Frase dopo frase raccontiamo con l'aiuto delle seguenti parole quello che abbiamo letto:

non-patatine / primo / secondo / pubblicità / non-dolce / telefonata / per le scale

- Chieda al suo vicino di banco:

— Va spesso al ristorante o preferisce cucinare lei?

— Le piace stare al passo con la pubblicità? Perché?

— Quali piatti conosce della cucina italiana?

- Parliamone insieme:

— Il caro-vita
(aumento dei prezzi: in Italia - nel vostro paese - in altri paesi)

— Mangiare per vivere
(consumo di grassi, di dolci... / la società del benessere / le diete / i paesi del Terzo Mondo)

- Immaginate con un po' di fantasia:

— Come sarà la cucina del 2000.
Sarà semplicissima. *Mangeremo...*

• Una ricerca:

Portate in classe alcune riviste italiane. Soffermatevi a guardare la pubblicità dei prodotti alimentari. Fate dei confronti e commentate le varie pagine pubblicitarie.

Notizie letterarie

Antonio Amurri è nato a Ancona nel 1927, è stato redattore del «Travaso», ha collaborato a molti giornali umoristici, è un popolare autore televisivo.

Amurri si diverte ad indagare quella che egli definisce «l'assurda area del ménage familiare», presentando situazioni e figure paradossali, in un epoca in cui più forte risulta la crisi della famiglia, secondo gli ordini e gli schemi tradizionali. Egli mette in risalto l'indifferenza dei giovani per gli anziani, le incomprensioni fra i coniugi, la fine del marito patriarca e l'affermarsi di personaggi estremamente bizzarri ed umoristici come «il marito macchinaro» o «la moglie pubblicitomane».

Tra i suoi libri di maggior rilievo e più felici si devono ricordare *Come ammazzare la moglie e perché* (1974), *Come ammazzare il marito senza tanti perché* (1976) e *Stavolta mi ammazzo sul serio* (1977).

Glossario

Non-dramma casalingo

apparecchiare	preparare la tavola
sgranocchiare	masticare cibi duri, ben cotti, secchi
croccante	scricchiolante, duro (da masticare)
farsi influenzare da	essere soggetto all'influenza di altri
al passo con	che segue
accorgersi	capire
sopportare	tollerare
comporre un numero (al telefono)	fare un numero (al telefono)
tromba delle scale	spazio vuoto al centro delle scale

Carlo Manzoni

IL GIORNALE

Registrazione eseguita una sera dopo cena, quando il sottoscritto ha finalmente un po' di tempo per leggersi il giornale che ha portato a casa a mezzogiorno.

Ambrogio — Ma dov'è? Dov'è che l'avete cacciato? Io quando sono venuto a casa a mezzogiorno, l'ho messo qua... Qua! Va bene?

Adelaide — Ma va' Ambrogio! Se l'avessi messo lì ci sarebbe ancora! E poi si può sapere cosa cerchi?

Ambrogio — Il giornale di oggi, cerco.

Adelaide — Allora non può essere andato a spasso con le sue gambe. Chissà dove l'hai ficcato! Hai una testa, tu!

Ambrogio — Siete voi che toccate tutto. Non si può mai sapere dove va a finire la roba in questa casa. Caterina, hai visto il giornale?

Caterina — No, papà, non l'ho visto.

Ercole — Papà, è questo il giornale che cerchi?

Adelaide — Lascia stare quella roba, Ercole!

Ambrogio — No, no... Un momento! Fammi vedere!

Adelaide — Ma cosa vuoi vedere? È il modello del davanti della camicetta che sto facendo per la Caterina.

Ambrogio — Il davanti della camicetta?

Adelaide — Ma dai Ambrogio! Prima di tagliare la stoffa si taglia il modello con la carta, no? Dammi qua, non me lo sciupare.

Ambrogio — Un momento. Voglio vedere... Ehi ma dico! Ma questo qui è il giornale di oggi... Ma guarda se è il modo di conciare il giornale che non ho ancora letto!

Adelaide — Io l'ho preso dal mucchio dei giornali vecchi.

Ambrogio — Ma non vedi che ha la data di oggi, scusa?

Adelaide — Cosa devo sapere se è di oggi o dell'altro giorno! I giornali sono tutti uguali.

Ambrogio — E va bene, allora hai ragione. Allora io compro i giornali per tagliarli tutti a pezzettini. Guarda che modo di conciare un giornale!

Adelaide — Conciare un giornale? Ah, bel ringraziamento! E io sto qui a fare i vestiti a tua figlia per risparmiare i soldi della sarta!

Ambrogio — Ma ci sono tanti giornali vecchi in casa, perché devi prendere proprio quello di oggi?

Adelaide — Eh, bé... Non c'è bisogno di farne una tragedia. Non l'ho mica fatto apposta. Dovevo tagliare il modello e... cosa fai? Non tirare via lo spillo! Lì c'è la piega.

Ambrogio — Ma sì... Dopo ce lo rimetto... Lasciami almeno vedere i risultati delle elezioni... almeno quello... ecco qua... Veneto, Toscana, Emilia... Dove sono i risultati della Lombardia?

Adelaide — Non ti agitare, Ambrogio. Saranno sulla manica. Ecco la manica.

Ambrogio — Va bene, leggiamo la manica... No... la manica è tutta cronaca nera. E questo cosa sarebbe?

Adelaide — Il davanti.

Ambrogio — Porca miseria, ma il davanti è tutto sport.

Adelaide — Sta' attento, questo è il colletto, non me lo sciupare.

Ambrogio — Al diavolo il davanti, il colletto, la manica! Ma guarda se è possibile leggere un giornale in questo stato!

Caterina — Mamma... e il vestito per capodanno, quando me lo fai?

Adelaide — Appena ho finito la camicetta te lo taglio.

Ambrogio — Dimmelo prima così vado a comprarti il giornale con le ultime notizie.

da *Pronti per l'appollaggio*
Rizzoli, Milano 1968

- Che cosa vuol dire...?
  (cerchiamo di spiegarlo in italiano)

eseguire
il sottoscritto
cacciare
andare a spasso
ficcare
roba
sciupare
conciare
mucchio
fare apposta
rimettere
capodanno

- Domande relative al testo:

1. Quando è stata fatta questa registrazione?
2. Come ha conciato il giornale la signora Adelaide?
3. L'ha fatto apposta?
4. Che cosa interessa in particolare al signor Ambrogio di quel giornale?
5. Che cosa dice ironicamente il signor Ambrogio alla fine?

- Facciamo il ritratto:

— del signor Ambrogio
(professione - età - hobby - carattere...)

— della signora Adelaide
(casalinga - risparmiatrice - figli...)

Frase dopo frase, con un po' di fantasia, descriviamo i personaggi di questo racconto.

- Riesposizione del testo:

giornale di oggi / a pezzettini / elezioni / manica / colletto / capodanno

- Parliamo di:

— Quando leggete il giornale, la sera o la mattina?

— Quali sono le pagine che vi interessano di più?

— Conoscete i titoli di alcuni giornali italiani e le loro tendenze politiche?

— Quali sono le trasmissioni radiofoniche e televisive che seguite regolarmente per essere al corrente di quello che succede nel mondo?

— Seguite anche alcune trasmissioni in lingua italiana?
Raccontate.

Notizie letterarie

Carlo Manzoni con arguta ironia espressa attraverso un linguaggio un po' surreale ma vivo e denso di cordiale umanità svolge le trame dei suoi racconti incentrandoli nella vita familiare milanese, in particolare, cogliendone gli aspetti più significativi, attraverso la deformazione di un attivismo, che penetra nella vita domestica del mondo esterno e crea situazioni amene per la precisa definizione dei personaggi che vi partecipano. Emblematici in questo senso sono appunto i signori Brambilla di *Pronti per l'appollaggio*.

Ma in questa linea si collocano altri libri di non meno divertente interesse come *Il signor Brambilla e dintorni*, *Il signor Veneranda*, *Brava gente*, *Un colpo di testa e sei più bella*, *Angelo!* e *Ti faccio un occhio nero e un occhio blù!*

Glossario

Il giornale

eseguire	fare, realizzare
il sottoscritto	chi scrive
cacciare	mettere, nascondere
andare a spasso	andare a passeggio
ficcare	infilare, mettere dentro
roba	cose, oggetti
sciupare	rovinare
conciare	rovinare, ridurre in cattivo stato
mucchio	insieme di cose riunite disordinatamente
fare apposta	fare con intenzione, di proposito
rimettere	mettere di nuovo
capodanno	primo giorno dell'anno

UNA GALLINA ANALFABETA

Una gallina analfabeta si metteva in mezzo al pollaio con un pezzo di giornale e faceva finta di leggere. — Che cosa succede nel mondo? — le domandavano le compagne. Per non sbagliare la gallina analfabeta diceva che non succedeva mai niente. Un giorno una gallina insofferente le diede un calcio cosí forte che la fece ruzzolare in mezzo al prato, poi disse: — Adesso è successo qualcosa, vediamo se questa volta il giornale stampa la notizia.

LUIGI MALERBA
da *Le galline pensierose*
Einaudi, Torino 1980

GLOSSARIO

mettersi	andare, collocarsi
pollaio	locale, chiuso o recinto, per polli
fare finta	fingere, simulare
insofferente	impaziente, intollerante
ruzzolare	cadere rotolando
pensieroso	pieno di pensieri

Natalia Ginzburg

LUI E IO

Lui ha sempre caldo; io sempre freddo. D'estate, quando è veramente caldo, non fa che lamentarsi del gran caldo che ha. Si sdegna se vede che m'infilo, la sera, un golf.

Lui sa parlare bene alcune lingue; io non ne parlo bene nessuna. Lui riesce a parlare, in qualche suo modo, anche le lingue che non sa.

Lui ha un grande senso dell'orientamento; io nessuno. Nelle città straniere, dopo un giorno, lui si muove leggero come una farfalla. Io mi sperdo nella mia propria città; devo chiedere indicazioni per ritornare alla mia propria casa. Lui odia chiedere indicazioni; quando andiamo per città sconosciute, in automobile, non vuole che chiediamo indicazioni e mi ordina di guardare la pianta topografica. Io non so guardare le piante topografiche, m'imbroglio su quei cerchiolini rossi, e si arrabbia.

Lui ama il teatro, la pittura, e la musica: soprattutto la musica. Io non capisco niente di musica, m'importa poco della pittura, e m'annoio a teatro. Amo e capisco una cosa sola al mondo, ed è la poesia.

Lui ama i musei, e io ci vado con sforzo, con uno spiacevole senso di dovere e fatica. Lui ama le biblioteche, e io le odio.

Lui ama i viaggi, le città straniere e sconosciute, i ristoranti. Io resterei sempre a casa, non mi muoverei mai.

Lo seguo, tuttavia, in molti viaggi. Lo seguo nei musei, nelle chiese, all'opera. Lo seguo anche ai concerti, e mi addormento. [...]

Tutt'e due amiamo il cinematografo; e siamo disposti a vedere, in qualsiasi momento della giornata, qualsiasi specie di film. Ma lui conosce la storia del cinematografo in ogni minimo particolare; ricorda registi e attori, anche i più antichi, da gran tempo dimenticati e scomparsi; ed è pronto a fare chilometri per andare a cercare, nelle più lontane periferie, vecchissimi film del tempo del muto, dove comparirà magari per pochi secondi un attore caro alle sue più remote memorie d'infanzia.

Ricordo, a Londra, il pomeriggio d'una domenica; davano in un lontano sobborgo sui limiti della campagna un film sulla Rivoluzione francese, un film del '30, che lui aveva visto da bambino, e dove appariva per qualche attimo un'attrice famosa a quel tempo. Siamo andati in macchina alla ricerca di quella lontanissima strada; pioveva, c'era nebbia, abbiamo vagato ore e ore per sobborghi tutti uguali, tra schiere grigie di piccole case, grondaie, lampioni e cancelli; avevo sulle ginocchia la pianta topografica, non riuscivo a leggerla e lui s'arrabbiava; infine, abbiamo trovato il cinematografo, ci siamo seduti in una sala del tutto deserta. Ma dopo un quarto d'ora, lui già voleva andar via, subito dopo la breve comparsa dell'attrice che gli stava a cuore; io invece volevo, dopo tanta strada, vedere come finiva il film. Non ricordo se sia prevalsa la sua o la mia volontà; forse, la sua, e ce ne siamo andati dopo un quarto d'ora; anche perché era tardi, e benché fossimo usciti nel primo pomeriggio, ormai era venuta l'ora di cena.

da *Le piccole virtù*
Einaudi, Torino 1962

• Spieghiamo in italiano con parole o espressioni sinonime:

lamentarsi
non fa che (lamentarsi)
sdegnarsi
imbrogliarsi
sobborgo
vagare
schiera
riuscire a

con sforzo
essere disposto a
periferia

prevalere
virtù

• Domande relative al testo:

1. Che tipo è lui?
2. Che cosa ama lei?
3. Qual è il loro hobby comune?
4. Perché a Londra sono andati al cinema?
5. Hanno visto tutto il film?

• Riesposizione del testo:

caldo / lingue straniere / indicazioni in città sconosciute / lei / poesia / cinema / Londra / attrice / ora di cena.

• Parliamone insieme:

— La vita a due
(matrimonio - convivenza - crisi della coppia - divorzi in aumento - i figli - ...)

• Con un po' di fantasia prepariamo la ricetta «Per vivere felici e contenti»

(suggerimenti per il marito; suggerimenti per la moglie...)

• Chieda al suo vicino di banco:

— Che cosa fa quando ha un po' di tempo libero?

— Quali sono secondo lei i pro e i contro della riduzione dell'orario di lavoro?

— Lei personalmente desidererebbe avere più tempo libero? Che cosa farebbe se avesse più tempo?

• Parliamo di:

— Il cinema: ieri - oggi - domani
(cinema muto / mass media / crisi del cinema...)

— Il cinema italiano
(registi e attori famosi / La 'Biennale di Venezia'...)

— Un film che avete visto di recente
(la trama / le scene / gli attori...)

Notizie letterarie

Natalia Ginzburg (Natalia Levi) è nata a Palermo nel 1916, ha trascorso l'infanzia e la giovinezza a Torino. Dopo aver sposato Leone Ginzburg, fiero oppositore del fascismo, morto a Roma nel carcere di Regina Coeli, divenne la moglie di Gabriele Baldini, anch'egli morto alcuni anni fa. Vive a Roma.

La Ginzburg ha esordito come scrittrice nel 1942 con il romanzo *La strada che va in città* con lo pseudonimo di Alessandra Tornimparte. Già in questo primo libro si avverte la tendenza a scavare il significato della vita attraverso le piccole azioni delle esistenze individuali e delle loro trame, ambientate nel mondo familiare. Fra le opere di maggior spicco risultano *Valentino* (1957), *Le piccole virtù* (1962), *Lessico familiare* (1963), *Caro Michele* (1973).

Glossario

Lui e io

lamentarsi	dimostrarsi scontento
non fa che (lamentarsi)	(si lamenta) sempre, continuamente
sdegnarsi	irritarsi, andare in collera
imbrogliarsi	fare confusione, sbagliarsi
con sforzo	con fatica
essere disposto a	essere pronto, preparato a
periferia	zona esterna di una città
sobborgo	piccolo centro abitato vicino a una città
vagare	andare qua e là, da un luogo a un altro
schiera	gruppo ordinato di cose o persone
riuscire a	potere, essere in grado di
prevalere	vincere
virtù	qualità positiva

Giovanni Mosca

NOTTI INSONNI

Mia moglie mi dice spesso: «Non ricordi quel che facevi tu da ragazzo? Le chiavi di casa a sedici anni? Tuo padre che alle cinque della mattina ti aspettava con la scopa?»

[...]

Verissimo [...] e appunto per questo soffro quando all'alba uno dei figli non è ancora rincasato.

Un tempo, quando non era che il primo a tornare tardi, mi agitavo tanto che una notte o, per meglio dire, una prima mattina telefonai agli ospedali e ai commissariati.

Mi risposero, debbo dire, con molto garbo.

Sono abituati. Ricevono ogni notte almeno un centinaio di telefonate di padri, e non di madri, le quali pur anch'esse preoccupate, si mantengono più serene perché, in fondo, *sentono* che non è successo nulla.

«Non è forse la loro età? Forse sarà rimasto a chiacchierare con gli amici, forse una ragazza...»

Gli occhi della mamma, a questa parola ridono.

«E tu che ti ubriacavi...» [...]

Ora non telefono più agli ospedali e ai commissariati.

Rimaniamo, mia moglie e io, in un dormiveglia durante i cui intervalli ricordiamo il tempo dei figli piccoli, quando la felicità era chiuder la porta alle nove di sera e dire: «Stiamo tutti insieme».

«Dormi?»

«Sì, dormo».

Fingiamo di dormire, e tendiamo l'orecchio trattenendo il respiro. Ecco finalmente la chiave nella serratura.

da *Diario d'un padre*
Rizzoli, Milano 1968

- Spieghiamo in italiano:

insonne
appunto
rincasare
agitarsi
commissariati
con garbo
un centinaio
mantenersi
ubriacarsi
dormiveglia
tendere l'orecchio

- Formate delle frasi con le parole sopraelencate.

- Domande relative al testo:

1) Che cosa dice spesso la moglie del protagonista di questo racconto a suo marito?
2) Lui se ne ricorda di quando era ragazzo?
3) Quante telefonate ricevono gli ospedali la notte?
4) Perché le madri si mantengono più serene?
5) A che cosa pensano nel dormiveglia marito e moglie?

- Riesposizione del brano letto:

la moglie / da ragazzo / come padre / un tempo / ospedali / madri più serene / ragazza / ora / dormiveglia / felicità / la chiave

- Immaginiamo la scenetta al rientro del figlio

Uno di voi fa la parte del padre, uno quello della madre e un altro quella del figlio.

«È notte profonda. La porta si apre lentamente...»

- Parliamo di:
  — Il rapporto genitori-figli
  (quando i figli sono piccoli / adolescenti / maggiorenni...)

- Mettiamo a confronto
  - — Come si divertivano i nostri genitori
  - — Come si divertono i nostri figli
    (giri in bicicletta / festicciole in casa di amici / quattro salti in discoteca...)

- Parliamo di:
  - — I giovani in Italia e nel vostro paese
    (orientamento professionale / impegno sociale / aspettative...)

Notizie letterarie

Giovanni Mosca nacque a Roma nel 1908. Dopo aver seguito gli studi liceali conseguí l'abilitazione magistrale e insegnò nelle scuole elementari. Fin dalla gioventù collaborò con scritti e disegni umoristici a vari giornali come il «Cianchettini», il «Tifone», il «Travaso». Nel dopoguerra diresse il giornale satirico «Il Bertoldo», e «Il Corriere dei Piccoli». È morto nel 1983.

Se l'attività giornalistica di Mosca è stata coronata da molto successo, il medesimo risultato egli ha conseguito con le vignette sempre più espressive e ricche di umorismo e con vari libri. Le qualità stilistiche di Mosca sono la chiarezza del linguaggio e la sua incisività, il gusto di rendere sempre più ridicoli i protagonisti dei suoi racconti deformandone così i difetti più vistosi da farne dei personaggi assolutamente assurdi.

Mosca è stato autore di libri famosi come *Ricordi di scuola* (1940), *Questi nostri figli* (1951), *Diario di un padre* (1968) e *La signora Teresa* (1972) dove racconta il viaggio della propria vita.

Glossario

Notti insonni

insonne	senza sonno
appunto	proprio, esattamente
rincasare	rientrare, tornare a casa
agitarsi	diventare inquieto
commissariato	ufficio di polizia

con garbo	con cortesia
un centinaio	circa cento
mantenersi	rimanere
ubriacarsi	bere tanto da diventare ubriaco
dormiveglia	stato fra il sonno e la veglia
tendere l'orecchio	prestare attenzione ascoltando
serratura	dove si mette la chiave per chiudere o aprire una porta

Italo Calvino

SE UNA NOTTE D'INVERNO...

Stai per cominciare a leggere il nuovo romanzo *Se una notte d'inverno un viaggiatore* di Italo Calvino.

Rilassati. Raccogliti. Allontana da te ogni altro pensiero. Lascia che il mondo che ti circonda sfumi nell'indistinto. La porta è meglio chiuderla; di là c'è sempre la televisione accesa.

Dillo subito, agli altri: «No, non voglio vedere la televisione!» Alza la voce, se no non ti sentono: «Sto leggendo! Non voglio essere disturbato!» Forse non ti hanno sentito, con tutto quel chiasso; dillo piú forte, grida: «Sto cominciando a leggere il nuovo romanzo di Italo Calvino!» O se non vuoi dirlo; speriamo che ti lascino in pace.

Prendi la posizione più comoda: seduto, sdraiato, raggomitolato, coricato. Coricato sulla schiena, su un fianco, sulla pancia. In poltrona, sul divano, sulla sedia a dondolo, sulla sedia a sdraio, sul pouf. Sull'amaca, se hai un'amaca. Sul letto, naturalmente, o dentro il letto. Puoi anche metterti a testa in giú, in posizione yoga. Col libro capovolto, si capisce.

Certo, la posizione ideale per leggere non si riesce a trovarla. Una volta si leggeva in piedi, di fronte a un leggio. Si era abituati a stare fermi in piedi. Ci si riposava cosí quando si era stanchi d'andare a cavallo. [...] Tenere i piedi sollevati è la prima condizione per godere della lettura.

Bene, cosa aspetti? Distendi le gambe, allunga pure i piedi

su un cuscino, su due cuscini, sui braccioli del divano [...]. Togliti le scarpe, prima. Se vuoi tenere i piedi sollevati; se no, rimettitele. Adesso non restare lì con le scarpe in una mano e il libro nell'altra.

Regola la luce in modo che non ti stanchi la vista. Fallo adesso, perché appena sarai sprofondato nella lettura non ci sarà piú verso di smuoverti [...] Cerca di prevedere ora tutto ciò che può evitarti d'interrompere la lettura. Le sigarette a portata di mano, se fumi, il portacenere. Che c'è ancora? [...]

da *Se una notte d'inverno un viaggiatore*
Einaudi, Torino 1979

• Spieghiamo in italiano:

rilassarsi
raccogliersi
sfumare
raggomitolato
coricato
rimettersi
sprofondare
smuovere
interrompere
a portata di mano

• Domande relative al testo:

1) Che cosa sta per fare il lettore?
2) Che cosa deve gridare agli altri?
3) È facile trovare la posizione ideale per leggere?
4) Che cosa succederà quando il lettore finalmente sarà sprofondato nella lettura?
5) Com'è il linguaggio o meglio lo stile del brano?

• Chieda al suo vicino di banco:

1) Quali sono le sue letture preferite?
2) Ha spesso un minuto di pace per leggere?
3) Secondo lei, la lettura è un hobby diffuso?
4) Gli italiani sono dei lettori accaniti, cioè leggono molto?

• Riesposizione:

lettore / romanzo / televisione / posizione ideale / luce / sigarette

• Un gioco:

Sulla traccia del brano letto dica a un suo amico di concentrarsi nella lettura...

Es.: Mario, *rilassati... concentrati...*

• Parliamo di:

— Un libro interessante che abbiamo letto di recente.

— Come ci orientiamo nella scelta delle nostre letture
(critica letteraria - amici - libreria - premi letterari...)

— Importanza della lettura a tutte le età
(favole - libri d'avventura - romanzi rosa - i classici - saggi storici - libri gialli - libri in lingua straniera)

— La crisi del libro nell'era del computer e dei mass media.

— Importanza delle biblioteche comunali
(loro organizzazione - chi frequenta le biblioteche...)

NOTIZIE LETTERARIE

Italo Calvino nato nel 1923 a Cuba, si trasferì in Italia e visse in Piemonte dove prese parte alla Resistenza. Laureatosi in lettere a Torino, divenne consulente presso la casa editrice Einaudi. Per molti anni ha vissuto a Parigi. È morto nel 1985.

Nel 1939 ha fondato con Elio Vittorini la rivista «Il Menabò di letteratura»; ha collaborato a giornali e riviste. Nel 1947 scrisse il primo romanzo *Il sentiero dei nidi di ragno*, rivelando i motivi ispiratori della sua attività di scrittore nell'illustrare la vita in termini lirico-fiabeschi e la favola che dà forma e sostanza alla vita e alla storia, in un lento e doloroso apparire del vero con un'amarezza che suggella la mancanza di accordi fra la natura, la società e l'uomo.

Veramente ricca e varia con il costante inserimento della pura fantasia nell'invenzione è la produzione letteraria di Calvino. Sono da ricordare fra i romanzi *Il visconte dimezzato* (1952), *Il barone rampante* (1957), *Il cavaliere inesistente* (1959) e tra i racconti *Le città invisibili* (1972).

Frutto di un impegno filologico e creativo allo stesso tempo, risulta il grande volume delle *Fiabe italiane* (1956) da lui raccolte dai dialetti di tutte le regioni.

È uscito postumo *Lezioni americane* (1988), raccolta di conferenze che l'Autore avrebbe dovuto tenere presso alcune università americane.

Glossario

Se una notte d'inverno un viaggiatore...

rilassarsi	fare relax, distendersi
raccogliersi	concentrarsi
sfumare	diventare impreciso, meno intenso, sparire
indistinto	confuso
raggomitolato	raggomitolato su di sé come un gomitolo di lana
coricato	disteso, sdraiato
pouf	specie di sgabello a forma cilindrica tutto imbottito
leggio	piccolo mobile per sostenere un libro, uno spartito musicale, ecc.
rimettersi	mettersi di nuovo
sprofondare	immergersi, cadere nel profondo
non ci sarà verso di	non ci sarà modo di, non sarà possibile
smuovere	muovere, spostare, distogliere
interrompere	fermare
a portata di mano	molto vicino (di cosa che si tiene a disposizione, che si può raggiungere in ogni momento)

Goffredo Parise

IL MECCANICO

Ho trentaquattro anni e di professione faccio il meccanico. [...] Questa passione, per non dire vocazione, l'ho sempre avuta fin da bambino: mio padre faceva il panettiere ed io ho studiato fino alla terza media; quanta fatica a studiare e quanti pianti, quando mio padre mi obbligava a stare in bottega due ore al giorno, perché imparassi almeno quel mestiere.

Non ero nato né per studiare, né per fare il panettiere e le ragioni le espongo subito perché ho avuto sempre le idee molto chiare. [...]

A scuola andavo bene, ero uno dei primi della classe, questo lo devo dire subito, non si pensi che ho abbandonato gli studi perché ero un asino. Io un asino non lo ero e non lo sono, nelle cose mi applico con molta serietà e convinzione e soprattutto non sono mai stato uno scansafatiche.

Tuttavia non volevo più studiare per una ragione molto semplice: perché ero convinto che la scuola, e con essa gli studi, la cultura, come si dice con una parola tanto antipatica, non solo non mi interessavano ma erano semplicemente inutili.

Quando uno ha imparato a leggere e a scrivere mi pare che basti, è anche troppo. E poi, a che cosa mi sarebbe servita quella cultura a cui mio padre panettiere e mia madre tenevano tanto? Qual è l'utilità nella vita di tutti i giorni? Cosa si fa, non dico con l'analisi logica, ma con Achille e Ulisse, col genitivo e l'ablativo, con Napoleone e Alessandro, con l'America e l'Australia?

Quando si sono imparate tutte queste cose e poi si possiedono, come si utilizzano?

da *Romanzi e Racconti*
SADE, Milano

• Che cosa vuol dire...?
(cerchiamo di spiegarlo in italiano)

vocazione
panettiere
bottega
esporre
abbandonare
applicarsi
scansafatiche
tenere a
utilità
analisi logica
utilizzare

• Formate delle frasi con le parole qui sopra elencate, con quelle che vi ispirano di più, naturalmente!

• Rispondete alle domande:

1) Quanti anni ha il personaggio del brano?
2) Perché ha abbandonato gli studi?
3) Che cosa si chiede alla fine del brano?
4) Possiamo rispondere noi ai quattro quesiti?
5) Secondo voi l'istruzione è indispensabile anche per chi svolge un'attività manuale?

• Riesposizione del brano:

meccanico / panettiere / bottega / classe / cultura / utilità

• Parliamo di:

— Quando eravamo studenti anche noi (scuola media, liceo...) (primo della classe / così così / compiti in classe - a casa / materie preferite e no / genitori / insegnanti...)

— Come sono gli studenti d'oggi
loro interessi / idea della cultura / era dell'elettronica...)

— Le nostre attività lavorative:
(soddisfazioni / problemi / atmosfera sul lavoro / scelta della professione per vocazione o per caso...)

• Un gioco a scelta:

a) Uno o due di voi hanno talento artistico e presentano una professione: voi fate i mimi e noi indoviniamo!

b) Uno di voi esce.
Gli altri si mettono d'accordo e stabiliscono la professione ideale per la persona che è uscita.
Dalle domande e dalle risposte si arriverà alla soluzione del gioco.

Buon divertimento!

Notizie letterarie

Goffredo Parise, nato a Vicenza nel 1929, dopo aver intrapreso studi di filosofia, ha svolto attività di giornalista e in particolare di corrispondente in numerosi viaggi in Russia, America, Medio Oriente e Vietnam. È autore di opere teatrali. È morto nel 1986.

Si avviò nella carriera di scrittore molto giovane con il libro *Il ragazzo morto e le comete* (1951) un'opera ricca di stravaganze fantastiche, ma anche di esperienze letterarie, tendenza che in seguito rivolse alla tradizione psicologica e alla satira del costume. Il mondo piccolo borghese contemporaneo è oggetto dei suoi interessi anche nel linguaggio dialettale e a volte grossolano dei ragazzi di vita di Piacenza.

Tra i molti libri da lui scritti vanno ricordati *Il prete bello* (1954), *Il fidanzamento* (1956), *Cara Cina* (1966), *Sillabario n° 1* (1972) e *Sillabario n° 2* (1981).

Glossario

Il meccanico

vocazione	inclinazione innata verso un'arte, una professione, ecc.
panettiere	chi fa o vende pane

bottega	negozio o laboratorio di artigiano
esporre	esprimere, dire
abbandonare	lasciare per sempre persone o cose
applicarsi	dedicarsi con impegno
scansafatiche	chi ha poca voglia di lavorare e cerca di evitare il più possibile qualunque fatica
tenere a	dare importanza a
utilità	vantaggio
analisi logica	materia che studia la funzione sintattica degli elementi (singole parole o gruppi di parole) delle frasi
utilizzare	usare

UNA SCUOLA GRANDE COME IL MONDO

C'è una scuola grande come il mondo.
Ci insegnano maestri, professori,
avvocati, muratori,
televisori, giornali,
cartelli stradali,
il sole, i temporali, le stelle.

Ci sono lezioni facili
e lezioni difficili,
brutte, belle e così così.

Ci si impara a parlare, a giocare,
a dormire, a svegliarsi,
a voler bene e perfino
ad arrabbiarsi.

Ci sono esami tutti i momenti,
ma non ci sono ripetenti:
nessuno può fermarsi a dieci anni,
a quindici, a venti,
e riposare un pochino.

Di imparare non si finisce mai,
e quel che non si sa
è sempre più importante
di quel che si sa già.

Questa scuola è il mondo intero
quanto è grosso:
apri gli occhi e anche tu sarai promosso.

GIANNI RODARI
da *Il libro degli errori*
Einaudi, Torino 1964

GLOSSARIO

voler bene	amare
arrabbiarsi	andare in collera, adirarsi
ripetente	chi ripete un anno scolastico
promuovere	far andare in una classe superiore

Dino Buzzati

IL PROBLEMA DEL PARCHEGGIO

Possedere un'automobile è una bella comodità, certo. Non è però una vita facile.

Nella città dove vivo, raccontano che una volta adoperare un'automobile fosse una cosa semplice. I passanti si scansavano, le biciclette procedevano ai lati, le strade erano pressoché deserte, soltanto qua e là i mucchietti verdi lasciati dai cavalli; e ci si poteva fermare a volontà, anche nel mezzo delle piazze, non c'era che l'imbarazzo della scelta. Così dicono i vecchi, con un malinconico sorriso, carico di reminiscenze. [...]

Oggi invece, o amici, è una battaglia. [...]

Quando venivo in ufficio a piedi o con il tram, me la potevo prendere comoda, relativamente. Oggi no, che vengo in automobile. Perché l'automobile bisogna pur lasciarla in qualche sito e alle ore otto del mattino trovare un posto libero lungo i marciapiedi è quasi un'utopia.

Perciò mi sveglio alle sei e mezzo, alle sette al più tardi [...] poi via di gran carriera, pregando Iddio che i semafori siano tutti verdi.

Eccoci. [...] Uomini e donne formicolano già per le strade del centro, anelando a entrare il piú presto possibile nella sua prigione quotidiana. [...]

Le vie lunghissime e diritte hanno già da una parte e dall'altra una ininterrotta fila di automobili ferme e vuote, a perdita d'occhio. [...]

È tardi. Da un pezzo sarei dovuto essere in ufficio. Ansiosamente esploro una via dopo l'altra, in cerca di un rifugio. Meno male: là c'è una signora che sembra stia per risalire in macchina. Rallento, aspettando che lei salpi per ereditare il posto. Un coro frenetico di clackson immediatamente si scatena alle mie spalle [...]

Pazienza. Ora bisogna che almeno passi dall'ufficio ad avvertire. [...] Ma proprio mentre sto frenando in corrispondenza del portone, gli occhi mi cadono su di un posto libero lungo l'opposto marciapiedi. Col cuore in gola io sterzo, rischiando di farmi triturare dalle valanghe di veicoli, attraverso la strada, velocemente plano a sistemarmi. Un miracolo.

da *Sessanta Racconti*
A. Mondadori, Milano 1958

(titolo del racconto: *Il problema dei posteggi*)

- Che cosa vuol dire...?
  (cerchiamo di spiegarlo in italiano)

adoperare
scansarsi
procedere
pressoché
non (c'era) che
c'era l'imbarazzo della scelta
reminiscenza
sito
marciapiedi

formicolare
anelare
ininterrotto
a perdita d'occhio
esplorare
rifugio
rallentare
salpare
triturare
planare

- Domande relative al testo:

1. L'automobile è una comodità?
2. Che cosa dicono i vecchi dei tempi passati?
3. La giornata dell'autore comincia tranquilla?
4. È facile trovare un parcheggio in centro?
5. Da dove è stato preso questo brano?

• Riesposizione del testo:

Frase dopo frase raccontiamo con l'aiuto delle seguenti parole quello che abbiamo letto:
comodità / reminiscenze / tram / fila di automobili / clackson / miracolo

• Parliamone insieme:

— Come erano le città un tempo, quando c'erano ancora poche macchine?
Le strade *erano* libere, l'aria *era*...
Continuate voi!

— E adesso descriviamo la situazione odierna, con tante macchine sulle strade.
Traffico / incidenti / rumori / inquinamento...

— Anche a voi è noto il problema del parcheggio. Raccontate un episodio capitato a voi.
Era un sabato mattina. *Volevo* andare a...

Notizie letterarie

Dino Buzzati è nato a Belluno nel 1906, laureatosi in legge a Milano, iniziò l'attività giornalistica, lavorando dal 1928 al «Corriere della Sera» divenendo più tardi redattore, inviato speciale e critico d'arte. È morto a Milano nel 1972.

L'opera letteraria di Buzzati non è molto ampia, esordì come scrittore con il romanzo *Barnabo delle montagne* nel 1935, mettendo in luce l'interesse per il problema del linguaggio, quindi l'invenzione di una prosa intenta a creare un'atmosfera magica. I modelli delle sue scritture derivano dalla letteratura mitteleuropea. Prevale nei suoi racconti il mito surrealistico per l'uomo contemporaneo, sottoposto ad una condizione senza soluzioni. Ma anche queste intenzioni derivano dalla mitologia nordica di cui fu profondo conoscitore, e che lo sollecitò al gusto della favola. Il suo libro più famoso è *Il deserto dei Tartari* (1940), tradotto in molte lingue straniere, dove è più forte il richiamo di paesi del nord, una parabola pessimistica di una condotta senza scopo, lungo stagioni nelle quali vanno morendo illusioni e speranze. È appunto questo il libro che la critica ha avvicinato a Kafka.

Buzzati è anche autore di *Il segreto del bosco vecchio* (1935), *Sessanta racconti* (1956), *La boutique del mistero* (1968), *Testamento* (1969).

Glossario

Il problema del parcheggio

adoperare	usare
scansarsi	farsi, mettersi da parte
procedere	andare avanti
pressoché	quasi
mucchietto verde lasciato dai cavalli	i resti che si vedono sulla strada dopo che sono passati dei cavalli
non (c'era) che	(c'era) soltanto
c'era l'imbarazzo della scelta	c'era la difficoltà di scegliere (per dire che i punti liberi dove fermarsi erano moltissimi)
reminiscenze	ricordo di qualcosa lontana nel tempo
sito	luogo, posto
marciapiedi	parte della strada riservata ai pedoni (cioè alle persone che vanno a piedi)
formicolare	muoversi come una moltitudine di formiche
anelare	desiderare ansiosamente
ininterrotto	continuo, senza interruzione
a perdita d'occhio	fin dove la vista non arriva
esplorare	esaminare con attenzione
rifugio	luogo che offre riparo, protezione
rallentare	andare più piano, ridurre la velocità
salpare	partire, andarsene (detto di navi)
triturare	ridurre in piccoli pezzi
planare	volare in discesa (detto di aeroplano)

Leonardo Sciascia

SUL TRENO ROMA-AGRIGENTO

— La Sicilia le piace?

— Credo che mi piacerà molto: non ci sono mai stato — disse l'ingegnere guardando la ragazza.

— Lo sentite? — disse il professore rivolto alla moglie e alla ragazza. — Ha girato mezzo mondo e non conosce la Sicilia! Cristo di Dio, tutti così questi continentali!

— Ma ho sempre desiderato fare un viaggio in Sicilia — si scusò l'ingegnere.

— Certo certo: la terra dove splendono sovra cupo fogliame arance d'oro — citò il professore con ironia, con amarezza.

— Succede sempre così — disse la signora, in soccorso all'ingegnere e a smorzare il risentimento del marito — che si rimanda da un anno all'altro: e le cose che piú desideriamo vedere finisce che non le vediamo mai, o soltanto per un caso... Noi, per esempio, non siamo ancora stati a Piazza Armerina: ed è da quando siamo sposati che mio marito va dicendo che dobbiamo andarci.

— È vero — approvò il marito — succede sempre cosí. Ma io, quando sento che uno, all'età dell'ingegnere... Mi scusi, quanti anni ha lei?... — che non perdeva di vista lo scopo di apprendere tutte le possibili notizie sul compagno di viaggio.

— Trentotto.

— ... Che uno, a trentotto anni, non conosce la Sicilia: ebbene, non lo faccio apposta, ma mi viene una certa rabbia... Perché poi (si capisce che parlo in generale), senza conoscere, senza sapere, dall'alto del loro bum o come si chiama, del loro miracolo economico, insomma, tagliano e arrostono questa povera Sicilia come pare e piace a loro... E io allora dico: bum un corno, questo bum voi lo fate sulla nostra pelle, voi ci state friggendo con lo stesso olio nostro... Per carità, cambiamo discorso. [...]

Ma subito trovò da esaltarsi di fronte al mare di Taormina.

— Che mare! E dove c'è un mare così?

— Sembra vino — disse Nenè.

— Vino? — fece il professore perplesso. — Io non so questo bambino come veda i colori: come se ancora non li conoscesse. A voi sembra colore di vino, questo mare?

— Non so: ma mi pare ci sia qualche vena rossastra — disse la ragazza.

— L'ho sentito dire, e l'ho letto da qualche parte: il mare colore del vino — disse l'ingegnere.

— Qualche poeta l'avrà magari scritto, ma io un mare colore del vino non l'ho mai visto — disse il professore; e a Nenè spiegò — Vedi: qui sotto, vicino agli scogli, il mare è verde; più lontano è azzurro, azzurro cupo.

— A me sembra vino — disse il bambino, con sicurezza.

— È daltonico — sentenziò il professore.

Ma che daltonico? — si rivoltò la signora. — È testardo.

Si provò anche lei a convincerlo del verde e dell'azzurro del mare.

— È vino — disse Nenè.

— Vedi che è testardo? — disse la madre. — Ora addirittura afferma che è vino.

— Un momento — disse il professore. Tirò giú dalla reticella la sua cravatta, verde a striscie nere, e mostrandola domandò al bambino — Che colori ha questa cravatta?

— Di vino — rispose implacabile Nenè: e sorrideva di malizia.

Il professore buttò la cravatta per aria.

— È meglio lasciar perdere: è testardo. — disse la signora.

— Forse è anche daltonico — insistette, ma ormai senza convinzione, il marito.

da *Il mare colore del vino*
Einaudi, Torino 1973

(titolo del racconto: *Il mare colore del vino*)

• Che cosa vuol dire...?

risentimento
rimandare
approvare
apprendere
bum
... un corno
esaltarsi
perplesso
rossastra
scoglio
daltonico
testardo
reticella
implacabile
malizia
lasciar perdere

• Formate delle frasi con le parole qui sopra elencate.

• Domande relative al testo:

1. L'ingegnere conosce la Sicilia?
2. Perché il professore si arrabbia parlando del miracolo economico?
3. Nenè è daltonico o testardo?
4. Da quale racconto è stato preso questo brano?

• Riesposizione del testo:

treno / ingegnere / Sicilia / i continentali / boom economico / Nené / mare colore del vino

• Parliamo di:

— La Sicilia
Che cosa sapete della Sicilia?
Qualcuno di voi c'è già stato?
Ricordate d'aver visto un film sulla Sicilia?

— L'educazione dei bambini nel vostro paese e in Italia
Avete notato delle differenze nel sistema educativo dei due paesi? Avete assistito ad una scenetta simile a quella raccontata da Sciascia?

• Per la prossima volta:

Raccontate per iscritto di un vostro viaggio in treno.
In classe la prossima volta naturalmente non leggerete il racconto dal foglio, ma riferirete ai vostri amici con le vostre parole quello che avete scritto sul quaderno a casa. D'accordo?
Allora, non sarà una lettura ma un racconto «preparato».

Notizie letterarie

Leonardo Sciascia è nato a Recalbuto (Agrigento) nel 1921. È stato maestro elementare in un piccolo centro della Sicilia, che gli ha ispirato uno dei libri più noti, *Le parrocchie di Regalpietra* (1956). Sciascia si è accostato alla letteratura dapprima come saggista collaborando a riviste quali «Il Ponte», «Letteratura», «Il raccoglitore» e «La Sicilia». Si tratta di uno scrittore che in sostanza non accetta e respinge con fermezza la tradizione meridionale, attraverso denunce condotte con rigore documentario, con un taglio narrativo caratterizzato da una purezza di linguaggio, non priva di un temperato colore dialettale. La severità dei giudizi e la razionalità di una giustizia etica ne sono gli esempi. La Sicilia viene considerata nella sua realtà politica e sociale attraverso una sperimentazione diretta.

Anche i romanzi, nei quali occupa spazio il fenomeno mafioso, per la limpidezza della scrittura e per la realtà umana, superano i limiti e i riferimenti locali o cronologici.

Fra i libri che meritano particolare attenzione vanno compresi *Il giorno della civetta* (1961), *Il consiglio d'Egitto* (1963), *A ciascuno il suo* (1966), *I mafiosi* (1976).

Glossario

Sul treno Roma-Agrigento

cupo	di colore scuro
smorzare	attenuare, spegnere
risentimento	irritazione, rancore

rimandare	rinviare, spostare a una data successiva
approvare	giudicare vero, considerare giusto
apprendere	venire a sapere
bum	grafia italianizzata per 'boom' (di origine inglese): rapido sviluppo, specialmente economico
... un corno	esprime forte opposizione a qualcosa
esaltarsi	provare entusiasmo, eccitazione
perplesso	incerto, dubbioso
rossastro	colore tendente al rosso
scoglio	roccia che emerge dalle acque del mare
daltonico	persona che non distingue bene i colori
testardo	che insiste seguendo le proprie idee senza considerare le idee degli altri (o le reali difficoltà), ostinato
reticella	piccola rete
implacabile	inesorabile, terribile
malizia	astuzia, furberia
lasciar perdere	non continuare, desistere

Giovanni Guareschi

VACANZE A MODO MIO

Morta nonna Giuseppina, la casa era rimasta a una sorella di mia madre che l'aveva, a sua volta, passata al figlio. E questo mio cugino aveva conservato la casa tale e quale e ci aveva abitato con la famiglia fino a quando i suoi figli lo avevano trascinato in città. Prima di lasciare la vecchia casa, m'aveva scritto: «Perché non vieni a fare qui un po' di vacanza? Troverai la casa uguale a quando, da ragazzo, passavi qui l'estate. Mi piange il cuore saperla abbandonata da tutti...».

Ci andammo e, sulla stradaccia poderale fra le alte siepi, provai la gioia immensa di navigare in una gloria di polvere facendo schizzare sassi a destra e a sinistra. Ritrovai la casa così come la ricordavo: le piante erano più vecchie e più selvatiche, il giallo s'era un po' sbiancato. Come me, del resto.

All'interno ogni cosa era in ordine perfetto: la moglie del vecchio mezzadro custodiva la casa con amore e rispetto.

Appena entrata, Gio' lanciò un urlo straziante:

«Non c'è la luce!»

«Sì» le spiegai. «Niente elettricità, quindi niente motori, niente frigo, niente aspirapolvere, niente lavatrice, niente TV, niente boiler. Unica macchina un cavatappi a manetta avvitato al muro della cucina. Niente gas, ma stufa a legna. Niente acqua corrente, ma, sul secchiaio, il rampino al quale appendere il secchio. Per l'illuminazione lucerne a petrolio e candele».

Gio' andò ad esplorare il primo piano e subito tornò giù ansimando.

«Il bagno!» urlò. «Non c'è il bagno!»

«C'è» spiegai. «Il bagno lo si fa nella lavanderia: là c'è la pompa del pozzo, la caldaia per far riscaldare l'acqua e il bigoncio di pioppo. Vicino c'è il camerino».

«E se uno di notte...» gridò la ragazza.

«Come di giorno: scende, esce di casa e raggiunge lo stanzino».

Gio' si volse inorridita verso Margherita.

«Signora,» urlò «lei non dice niente?»

Margherita si strinse nelle spalle:

«Gio', da ragazza io avevo una casa assai peggiore di questa perché abitavo in una casaccia di città. Del resto, non credo che anche casa tua...»

«Questo non significa niente!» la interruppe Gio'. «Quando uno ha conquistato il benessere perché dovrebbe rinunciarvi? Indietro non si torna!»

«Gio',» le dissi con dolcezza «tu sei ben convinta che il benessere sia costituito dagli elettrodomestici, dal termosifone, dalla TV, eccetera; in definitiva tu sei semplicemente alla mercé di una quantità impressionante di motori e meccanismi e basta un guasto alla linea elettrica perché tutta la casa si blocchi. Qui non si può bloccare mai niente. Nessuno sciopero può compromettere l'andamento della tua casa. Credi, c'è bisogno di un po' di vacanza: il progresso rende schiavi e qui uno è libero».

«Qui uno torna all'età delle caverne!» replicò Gio'. «Che cosa si fa, la sera, se non c'è la TV e senza nemmeno la radiolina a transistor?»

«Si ascoltano i grilli e le rane e gli usignoli. Oltre al resto cantano meglio dei divi della canzone. Se non ti va questa musica, che è la più classica del mondo, puoi divertirti a pensare».

«Storie!» protestò la ragazza. «Quando c'è la TV, posso pensare e poi ripensare a quello che vedo alla TV. Come quando vado al cinema, del resto. Da sola, a che penso?»

«Gio', non ti piacerebbe diventare questo o quest'altro, vivere questo o quest'altro, vivere questa o quest'altra avventura?»

«Sì, ma senza TV e cinema, come posso pensare a che cosa vorrei diventare? La TV è il binario della fantasia, insomma».

da *Vita in famiglia*
Rizzoli, Milano 1968

• Che cosa vuol dire...?

trascinare
abbandonato
siepe
schizzare
selvatico
sbiancarsi
custodire
straziante
aspirapolvere
cavatappi
ansimare
camerino
inorridito
essere alla mercé di
caverna
replicare

• Domande relative al testo:

1) Dove passava le vacanze il protagonista da ragazzo?
2) Perché Gio', la collaboratrice domestica, lancia un urlo straziante?
3) Qual è la reazione della signora?
4) Perché a Gio' manca tanto la televisione?
5) Perché al protagonista piace questo modo di fare le vacanze?

• Opinioni a confronto:

Che cosa ne pensate delle seguenti affermazioni?
«Quando uno ha conquistato il benessere perché dovrebbe rinunciarvi?»
«Il progresso rende schiavi»
«La TV è il binario della fantasia»

• Con un po' di fantasia descriviamo i personaggi del racconto:

Gio', la collaboratrice domestica e il protagonista.
(*Penso* che Gio' *sia* una ragazza di...)

• Parliamo di:

— Vacanze a modo nostro
(in campeggio / crociere / presso amici / in campagna...)

— Turismo di massa
(a Ferragosto / al mare / in inverno...)
— Vacanze-studio
(corsi di lingua all'estero / vivere il passato...)

Notizie letterarie

Giovanni Guareschi è nato a Roccabianca (Parma) nel 1908; giornalista, collaborò dal 1929 alla «Gazzetta di Parma», successivamente divenne redattore capo del giornale umoristico «Bertoldo»; dal 1945 è stato condirettore e poi direttore di «Candido». È morto nel 1968. Per la rara capacità di mantere una diretta comunicazione con i lettori ha ottenuto vasto successo.

Infatti lo stile giornalistico distingue i suoi primi libri densi di efficace umorismo: *La scoperta di Milano* (1941) e *Il destino si chiama Clotilde* (1942).

Tuttavia i suoi racconti e raccontini raggiunsero maggiore fortuna dopo la seconda guerra mondiale, quando egli rivolse l'attenzione alle vicende della provincia italiana, con particolare interesse per i fatti della piccola gente, che trovarono la migliore espressione nelle contese fra Don Camillo e Peppone, oggetto di particolare risonanza attraverso le riduzioni cinematografiche con Cervi e Fernandel.

Hanno particolarmente contribuito alla fortuna dell'autore i libri *Favole di Natale* (1945), *Lo Zibaldino* (1948), *Don Camillo* (1948), *Don Camillo e il suo gregge* (1953), *Vita in famiglia* (1968).

Glossario

Vacanze a modo mio

trascinare	portare a forza
abbandonato	lasciato per sempre
stradaccia poderale	brutta strada che conduce al podere (podere: terreno coltivato con casa del contadino)
siepe	recinto di piante intorno a campi o giardini
schizzare	saltare via di scatto
selvatico	non coltivato, non curato

sbiancarsi	diventare bianco, perdere il colore
custodire	avere cura di
straziante	terribile
aspirapolvere	elettrodomestico per pulire pavimenti, tappeti e moquette
cavatappi	serve per aprire le bottiglie di vino
secchiaio	posto dove si tenevano i secchi per l'acqua
rampino	gancio
ansimare	respirare con affanno
bigoncio	vaso di legno con manico usato per trasportare l'acqua
camerino	latrina, toilette
inorridito	spaventato, fortemente turbato
essere alla mercé di	essere in potere di, dipendere da
compromette	mettere a rischio, bloccare
caverna	grotta
età delle caverne	età preistorica
replicare	rispondere facendo un'obiezione

Ferragosto

Quest'anno a Ferragosto
voglio girare il mondo
sopra un cavallo a dondolo,
dondolare, ciondolare
su un bel cavallo a ciondolo,
bighellonare così
lasciandomi sorpassare
anche dalle lumache.
Ho tanti giorni per correre:
voglio un giorno per pensare.
Un giorno tutto intero
per pensare un bel pensiero.
Col mio cavallo di cartapesta
farò un viaggio intorno alla mia testa.

Gianni Rodari
da *Il secondo libro delle filastrocche*
Einaudi, Torino 1985

Glossario

girare	visitare (un luogo percorrendolo in ogni sua parte)
cavallo a dondolo	giocattolo di legno o di cartapesta su due assicelle che può dondolare
dondolare	muoversi da una parte e dall'altra
ciondolare	pendere oscillando, perdere tempo, stare in ozio

ciondolo	pendaglio (piccolo oggetto appeso a una catenina o simili)
bighellonare	andare in giro senza scopo e senza concludere nulla
lumaca	animale con conchiglia che cammina molto piano
cartapesta	mistura di carta macerata, argilla, colla e altro per statuine e bambole

Marcello Marchesi

NATALE IN FAMIGLIA

A Natale, nella cappelletta di famiglia, un bugigattolo dietro la camera oscura, le zie preparavano il presepio. Ognuna con un incarico preciso. Zia Ida, con carta colorata, scatole e vellutello, modellava il paesaggio nella sua struttura geografica. Una valle, due collinette, la grotta. Le opere idriche, il fiumiciattolo, la fontana con lo zampillo di vetro, perfino la cascatella: compito di zia Velia. Le casette di sughero, gli alberelli: zia Elettra. Gli effetti di luce erano attributo di non so chi, non ricordo, però ho presente zia Nannina che dipingeva il cielo stellato e soprattutto zia Egilia, la grande sarta che si dedicava alla stella cometa a cui applicava un enorme strascico, come ad una sposa. Poi il resto, le statuette, le pecorelle, i Re Magi li comperavano a turno in piazza Navona. Zio Guido invece, nel salotto grande, si dedicava all'albero di Natale, lo chiamava l'albero di Santa Klaus, diceva che era una bella usanza pagana, del nord. Per me andava bene tutto. Io beneficiavo del doppio rito. A Roma il giorno più importante è il 24, la vigilia, la notte, il cenone, la festa. A Milano, invece, è proprio il giorno di Natale, il 25.

In via delle Colonnette c'erano due cenoni, due feste; il Natale romano e il Natale ambrosiano. Ma non basta. A Roma i regali li porta la Befana, mentre a Milano li porta il Bambin Gesù. Doppia razione di regali. Tanti bei giocattoli che vedevo solo per un attimo. Le zie me li portavano subito via dicendo:

«Altrimenti li rompi». Poi di notte ci giocavano loro. Le ho viste io. Tra i regali c'era, ricordo, «Il piccolo paracadutista». Un tubo di cartone lungo un metro, nel quale si infilava un soldatino, avvoltolato in un paracadutino. Bastava soffiare nel tubo e quello partiva verso il soffitto, da cui tornava giù dondolando. Una notte fui svegliato da rumori e risatine soffocate. Mi alzai. Erano tutte in salotto in vestaglia e camicione, capelli sciolti e nastri sparsi, che si divertivano a soffiare e a riprendere al volo il piccolo paracadutista, oppure a giocare a chi lo ritrovava prima, spostando poltrone e canapé, tutte accaldate e allegre, e lo cercavano chiamando: «Guidino, Guidino, dove sei?». Appena mi videro spuntare oltre la porta, all'altezza della maniglia, si fermarono di colpo. Le guardai come per dire: «Ma come, io non ci posso giocare e voi sì?» Zia Egilia, la più seducente, mi accarezzò: «Non avere paura, Amedeo, non ci stiamo giocando, lo teniamo in esercizio, se no si guasta».

da *Sette zie*
Rusconi, Milano 1977

• Spieghiamo in italiano che cosa vuol dire...

bugigattolo
presepio
incarico
idrico
strascico
beneficiare di
paracadutista
risatina soffocata
spostare
spuntare
tenere in esercizio
guastarsi

• Domande relative al testo:

1) Chi preparava il presepio quando Amedeo era piccolo?
2) Chi si dedicava all'albero di Natale?
3) Qual è il giorno più importante a Roma? E a Milano?
4) Chi porta i regali a Roma? E a Milano?
5) Perché Amedeo riceveva doppia razione di regali?

• Riesposizione del testo:

le zie / il presepio / l'albero di Natale / i regali / il piccolo paracadutista / una notte / tenere in esercizio

• Parliamo di:

— Regali
(a Natale, a Pasqua, per il compleanno, come sorpresa / scegliere il regalo giusto / il prezzo...)

— Giocattoli
(di ieri / di oggi / di domani / funzione del giocattolo / i bambini / gli adulti...)

— Una festa in famiglia
(«Natale con i tuoi...» / i preparativi / i tradizionali pasti natalizi / la festa in Italia e nel vostro paese...)

— Natale è una festa religiosa ma non solo...
(la Messa / i presepi / l'albero di Natale / i negozi e gli addobbi natalizi / il consumismo...)

• Chieda al suo vicino:

Come preferisce trascorrere la notte di San Silvestro? Ha già deciso come brindare quest'anno all'Anno Nuovo?

E l'anno scorso come ha passato l'ultimo dell'anno, se lo ricorda ancora?

Notizie letterarie

Marcello Marchesi è nato a Milano nel 1912. Autore e sceneggiatore molto conosciuto, ha collaborato alla radio e a partire dal 1938 si è dedicato anche al teatro di rivista per il quale scrisse, spesso in collaborazione, numerosi testi.

Per il cinema ha lavorato come sceneggiatore e regista di film comici in coppia con Vittorio Metz.

Fra i libri ricordiamo: *Essere o Benessere*, *Il sadico del villaggio*, *I cento neoproverbi*, *Il meglio del peggio*, *Sette zie*.

Sette zie è stato scritto nel 1977 l'autore stesso lo definisce ironicamente un «giallo della memoria».

Marchello Marchesi è morto nel 1978.

Glossario

Natale in famiglia

bugigattolo	stanzino oscuro
presepio	rappresentazione della nascita di Gesù con statuine
incarico	compito
grotta	qui: luogo dove è nato Gesù
idrico	relativo all'acqua
fiumiciattolo	piccolo fiume
strascico	parte di abito lungo che dietro tocca terra (es. nell'abito da sposa); qui: coda della cometa
beneficiare di	godere di, trarre vantaggio da
cenone	ricca cena: di Natale o di Capodanno
ambrosiano	milanese (da Ambrogio, nome del Santo protettore di Milano)
paracadutista	chi si lancia dall'aereo con paracadute
risatina soffocata	piccola risata repressa
spostare (qualcosa)	cambiare posizione a (qualcosa)
spuntare	venir fuori in parte, apparire all'improvviso
di colpo	improvvisamente
seducente	attraente, piacevole
tenere in esercizio	far muovere
guastarsi	rompersi

Achille Campanile

UNO SPETTACOLO CHE PASSA INOSSERVATO

È un peccato che lo spettacolo della levata del sole si svolga la mattina presto. Perché non ci va nessuno. D'altronde, come si fa ad alzarsi a quell'ora? Se si svolgesse nel pomeriggio o,meglio, di sera sarebbe tutt'altro. Ma così come stanno le cose, va completamente deserto ed è sprecato. Soltanto se un geniale impresario lo facesse diventare alla moda, vedremmo la folla elegante avviarsi di buon'ora in campagna per occupare i posti migliori; in questo caso, pagheremmo persino il biglietto, per assistere alla levata del sole, e prenderemmo in affitto i binocoli. Ma per ora allo spettacolo si trova presente qualche raro zotico che non lo degna nemmeno d'una occhiata e preferisce occuparsi di patate, o di pomodori.

E non soltanto gli uomini si disinteressano di questo spettacolo, specie dopo che i selvaggi adoratori del sole sono stati convertiti, ma anche le bestie. Qualcuno crede che il gallo saluti la levata del sole. È un errore. Il gallo canta nel cuore della notte per ragioni sue; o, se crede di salutare la levata del sole, vuol dire che non ha la più lontana idea dell'ora in cui il sole si leva. Le altre bestie a quell'ora dormono, o se sono sveglie, brucano l'erba, o scorrazzano per i prati, o vanno a caccia, o fanno toletta, e s'infischiano della levata del sole.

Non parliamo poi dei pesci che, al solito, se ne stanno tranquillamente sott'acqua. Loro non li smuovono nemmeno le cannonate; crolli il mondo, non c'è caso che s'affaccino per vedere che cosa stia succedendo. Bisogna tirarli fuori con le reti.

Si penserebbe che gli unici a fare onore allo spettacolo siano gli uccelli coi loro canti, ma nemmeno per sogno. Gli uccelli cantano a tutte le ore e non si occupano affatto della levata del sole.

da *Se la luna mi porta fortuna*
Rizzoli, Milano 1960

• Spieghiamo in italiano che cosa vuol dire...

levata del sole	assistere
svolgersi	disinteressarsi
sprecato	infischiarsi
geniale	crollare
avviarsi	affacciarsi

• Domande relative al testo:

1. Perché non ci va nessuno, a vedere lo spettacolo della levata del sole?
2. Se diventasse di moda, che cosa succederebbe?
3. Secondo l'autore il gallo canta per salutare il sole?
4. I pesci s'affacciano per vedere che cosa sta succedendo?
5. Gli uccelli, con i loro canti, fanno onore allo spettacolo?

• Riesposizione del testo:

levata del sole / mattina / pomeriggio / impresario geniale / il gallo / i pesci / le reti / gli uccelli / a tutte le ore

• Lavoriamo insieme:

Immaginiamo di essere quel geniale impresario di cui parla Campanile. Con un po di fantasia facciamo delle proposte per far diventare di moda lo spettacolo dell'alba.

«Si *dovrebbe* fare molta pubblicità. *Dovremmo* convincere...».
Continuate voi.

- Parliamo di:

  — Le meraviglie della natura
  (l'alba / il tramonto / le Alpi / le baie / le grotte...)

  — Le imprese dell'uomo
  (la conquista della luna / la fecondazione artificiale...)

- Chieda al suo vicino:

  — Come definirebbe il rapporto che l'uomo moderno ha con la natura?
  (città di cemento / acque inquinate / smog / boschi in pericolo...)

  — Quali responsabilità ha l'uomo d'oggi verso le generazioni future?
  (riduzione dell'inquinamento atmosferico / consumo energetico / studi genetici sotto controllo...)

Notizie letterarie

Achille Campanile è nato a Roma nel 1899 ed è morto nel 1977. Ha collaborato fin dalla gioventù a giornali come «Il Corriere italiano», «La Fiera letteraria», «La gazzetta del popolo», «La Tribuna». Ha esordito come commediografo nel 1924 con le *Tragedie in due battute* e come narratore con il romanzo *Ma cos'è quest'amore* (1924).

La sua vena umoristica raggiunge spesso l'assurdo con l'uso frequente del paradosso, con una ricchezza di fantasia verbale idonea a ben cogliere alcuni aspetti della borghesia. La prosa risente dell'esperienza letteraria esercitata attraverso le polemiche della «Ronda» e le non nascoste simpatie verso il Futurismo. Con Campanile il giornalismo umoristico si è risolto nella narrativa, con le novelle e le storielle dei suoi romanzi.

Si tratta di libri di diffusione popolare fra i quali spiccano *L'inventore del cavallo* (1924), *Se la luna mi porta fortuna* (1928), *Agosto moglie mia non ti conosco* (1930), *Il povero Piero* (1959), *Vite degli uomini illustri* (1975).

Glossario

Uno spettacolo che passa inosservato

levata del sole — alba

svolgeresi	avvenire, avere luogo
sprecato	non valorizzato, reso inutile
geniale	che ha molto ingegno
impresario	chi dirige una impresa, specialmente di spettacoli
avviarsi	andare, incamminarsi
assistere	essere presente
binocolo	strumento a due lenti per vedere le cose più grandi
zotico	rozzo, incolto; qui: contadino
disinteressarsi	non avere interesse
brucare	strappare a piccoli morsi e mangiare l'erba, le foglie
scorrazzare	correre di qua e di là
infischiarsi	non curarsi, non occuparsi
crollare	venire giù, cadere
affacciarsi	mettere fuori la faccia

Alberto Moravia

FELICE SOTTO LA PIOGGIA

Inverno romano. Scendevo giú per il viale di Villa Borghese che porta al Museo e intanto pioveva a dirotto. Ma si poteva vedere ogni goccia venir giú rigando di bianco il cielo nero, per via del sole che risplendeva chiaro in fondo ai boschetti, tra le nuvole che scappavano d'ogni parte, luminose. Pioveva e c'era il sole; se non avessi saputo che era gennaio, avrei pensato che fosse marzo, tanto l'aria era dolce e l'erba, nei sottoboschi, alta, folta e verde. Pioveva a stecche d'ombrello e il sole risplendeva che pareva d'oro e quell'erba, sotto gli alberi, si beveva egualmente la pioggia e il sole. Tutto ad un tratto mi sentii felice, con una gran forza nelle gambe, come se fossi stato un grillo gigantesco, da potere con un salto salire in cima al tetto del Museo che si vedeva in fondo al viale con la sua bella facciata gialla; e feci davvero il salto aprendo la bocca verso il cielo e una goccia di pioggia mi cadde dritta nella bocca e mi parve che mi ubbriacasse come se fosse stato un sorso di liquore e pensai: «Ci ho vent'anni... e ho ancora da vivere questa vita tanto bella almeno altri quaranta o cinquant'anni... viva la vita.» A destra del viale, in cima ad una collinetta, vidi due o tre cavalli grossi e pasciuti con dei ragazzi ben vestiti in sella che aspettavano la fine della pioggia riparati sotto i lecci e non so perché quei cavalli mi parvero tanto belli e pensai ancora: «Sono proprio felice». Intanto quasi senza accorgermene, avevo cominciato a cantarellare una canzonetta alla moda; e mi ricordai ad un tratto del titolo di un film che avevo visto tempo addietro: cantando sotto la pioggia.

Forse ero felice perché andavo al mio primo appuntamento con Gloria, la cassiera di un bar dalle parti di piazza della Regina dove io lavoro come meccanico in un garage. Questa Gloria l'avevo accostata al buio, assistendo nel bar alla televisione; e prima le avevo sfiorato il braccio con il braccio, e poi, facendomi coraggio, le avevo messo la mano sulla mano; e cosí finita la televisione, le avevo fissato un appuntamento per giovedí che era il giorno in cui la padrona le dava il cambio alla cassa del bar. Oggi era giovedí, io andavo all'appuntamento e mi sentivo felice.

La sola preoccupazione era che ci avevo pochi soldi. Sono cose che succedono quando si ha vent'anni e si è meccanici in un garage. Tanto pochi da non potere offrire a Gloria che una visita al giardino zoologico e poi, tutt'al piú, un espresso, in piedi, in un bar. Niente cinema, perché i cinema dalle parti di via Veneto sono cari; a maggior ragione, niente ballo in una sala, anche fosse quella del Quadraro. Ma io ci ho la passione degli animali e mi illudevo che anche Gloria ce l'avesse. E poi contavo sul sentimento: se questo c'è, che importano i soldi?

Tra questi pensieri ero giunto al Museo che era il luogo dell'appuntamento. Mi misi al riparo della pioggia, sotto un cornicione, e aspettai.

Finalmente, ecco Gloria arrivare da uno di quei viali deserti, sotto la pioggia, riparandosi con l'ombrellino. Non so perché dal modo come era acconciata compresi subito il mio errore: quella non era la ragazza che ci voleva per me. Era tutta infronzolata, con un cappotto nuovo, rosso, e un vestito di seta verde bottiglia; aveva una nuova acconciatura ai capelli cosí che quasi quasi non la riconobbi.

da *Nuovi racconti romani*
Bompiani, Milano 1959

(titolo del racconto: *Lo scimpanzè*)

- Che cosa vuol dire...?

piovere a dirotto	accostare
rigare	sfiorare
folto	fissare un appuntamento
grillo	dare il cambio a qualcuno
cima	preoccupazione
sorso	acconciato
riparato	infronzolato

- Domande relative al testo:

1. Perché il protagonista di questo romanzo di Moravia era felice quel giorno?
2. Come aveva conosciuto Gloria?
3. Qual era la sua unica preoccupazione?
4. Come era acconciata Gloria?
5. Come avranno trascorso il pomeriggio?

- Riesposizione del brano:

inverno romano / felice / grillo gigantesco / il primo appuntamento / pochi soldi / zoo / cinema / Gloria / errore

- Con un po' di fantasia:

Uno di voi fa la parte del ragazzo e un altro fa la parte di Gloria. Pronti?

- Opinioni a confronto:

Che cosa ne pensate della seguente opinione?

«E poi contavo sul sentimento: se questo c'è, che importano i soldi?»

- Chieda al suo vicino di banco:

Che cos'è per lei la felicità?
La felicità dipende dall'età?

• Parliamo di:

— Il segreto per essere felici
Michael Ende, l'autore del romanzo *La storia infinita*, ha detto che basta la fantasia per essere felici, per uscire dal grigiore quotidiano. Siete d'accordo?

NOTIZIE LETTERARIE

Alberto Moravia (pseudonimo di Pincherle) è nato a Roma nel 1907, dove è morto nel 1990. La sua preparazione culturale avvenne in condizioni molto difficili a causa di una lunga malattia da cui fu colpito fin dalla fanciullezza.

Pertanto come autodidatta si è formato attraverso numerose letture di scrittori italiani, francesi, inglesi e russi. Iniziò la professione di scrittore collaborando dapprima alla rivista di Massimo Bontempelli «900», e svolse per tutta la vita attività giornalistica, con risultati di grande valore. Nel 1929 pubblicò il primo romanzo *Gli indifferenti* che riscosse immediato successo per la novità dell'invenzione, inserendosi con la sua polemica antiborghese, con toni angosciosi e severi, nella corrente neorealistica. Su questa linea svolse gran parte della sua opera, approfondendo la propria attenzione e simpatia verso le classi diseredate. Ma l'impegno moralistico venne successivamente distorto da un esagerato e meno originale intento sociologico, nonché dalla ideologia politica. Tuttavia Moravia per l'ampiezza del suo lavoro e per l'incisività originale della sua prosa resta il maggior rappresentante della nostra letteratura contemporanea. Testimoni ne sono infatti il vasto ma contrastato giudizio critico intorno ai suoi libri, nonché la fama sparsa nel mondo.

Fra i numerosi libri di Moravia vanno ricordati *La romana* (1947), *Il conformista* (1951), *Racconti romani* (1954), *La ciociara* (1957), *La noia* (1960).

GLOSSARIO

Felice sotto la pioggia

piovere a dirotto	piovere in modo violento, abbondante
rigare	fare delle righe

folto	fitto, denso
a stecche d'ombrello	come bacchette (piccole aste) di acciaio
grillo	piccolo insetto che salta
cima	punto più alto, sommità
sorso	quantità di liquido che si beve in una volta
pasciuto	grasso, nutrito abbondantemente
riparato	protetto, al sicuro
accostare	avvicinare
sfiorare	toccare appena
fissare un appuntamento	dare un appuntamento
dare il cambio a qualcuno	sostituire qualcuno per un certo tempo
preoccupazione	timore, ansia, inquietudine
acconciato	pettinato e vestito con ricercatezza
infronzolato	ornato con cura e ricercatezza

UNA GALLINA BUONTEMPONA

Una gallina buontempona aveva preso l'abitudine di cantare a tutte le ore, che avesse fatto l'uovo o no. La padrona arrivava nel pollaio, non trovava l'uovo e se ne andava via seccata. — «Perché canti? — domandavano le compagne. — Canto perché sono felice, — rispondeva la gallina buontempona. Le compagne non riuscivano a capire, pensavano che fosse diventata matta. E lei cercava di spiegare che non era matta, ma soltanto felice e diceva: — Che male c'è a essere felice?

Luigi Malerba
da *Le galline pensierose*
Einaudi, Torino 1980

Glossario

buontempone	chi ama vivere allegramente, spensierato
seccato	stufo, infastidito
matto	che non ha la ragione

Carlo Cassola

UNA PASSEGGIATA NEL BOSCO

L'ultimo giorno fecero la famosa gita. Le due ragazze andarono via la mattina, portandosi dietro Franca, la bimba, e desinarono alla Ginestra dalla zia.

Nei giorni precedenti era piovuto quasi in continuazione. Ora era un bel sereno, ma nell'aria raffrescata si avvertiva la vicinanza dell'inverno. Proprio questo spingeva a godersi fino in fondo la bella giornata di fine ottobre.

Anna e Anita volevano che anche la cugina andasse con loro, ma quella non volle assolutamente, malgrado che anche la mamma la spronasse ad andare. Si vergognava: di Anita, e perfino della bimba.

Tutto procedé bene finché andarono attraverso i campi, ma quando il viottolo cominciò a salire tra i castagni, Anita, che era in coda, si lamentò:

—Bimbe, per carità, adagio.

—Sei già stanca? — fece Anna voltandosi ad aspettarla.Non sono le gambe, — rispose Anita. — È lo stomaco. Con tutto il mangiare che mi balla in corpo... — e rise.

— Cos'è che ti balla in corpo? — domandò la bimba.

Quindici giorni erano bastati perché desse del tu anche ad Anita.

— La coscia della gallina, — rispose Anita. — La coscia della gallina con le carote.

La bimba si mise a ridere.

— Dio mio, gente, mettiamoci un momento a sedere, — disse Anita.

— Non ce la faccio più.

— Si sta bene! — esclamò Anna. — Se non ce la fai già più adesso, non ci arriviamo nemmeno domani.

Ripresero a camminare, ma Anita non durò molto.

— Basta, — disse a un certo punto. — Scoppio — . E si buttò a sedere.

— Ahi! — gridò. Si era bucata.

— Franca! fermati, — gridò Anna alla bimba che andava avanti per conto suo.

— Beata lei che è giovane, — disse Anita, e rise.

— Perché? Tu ti senti vecchia? — domandò Anna.

Era rimasta in piedi davanti alla cugina e frustava l'aria con una mazzetta che aveva raccolta lungo la strada.

— Decrepita, — rispose Anita, e rise.

— Non lo dire, — fece Anna. — Sennò toccherà dirlo anche a me.

— Per te è diverso, — rispose Anita. — Tu hai ancora da cominciare a vivere, — aggiunse poi.

Anna avrebbe voluto domandarle una cosa, ma si trattenne.

Si sentì la voce della bimba:

— Quando andiamo?

— Suvvia, alziamoci, — disse Anita, e muovendosi si bucò di nuovo. Ben presto furono fuori dei castagni. Il viottolo s'infilò nel bosco. Con gran sollievo di Anita, ci fu un tratto pianeggiante, in capo al quale trovarono la bimba sdraiata in mezzo al viottolo. Appena le vide, fu però pronta a rimettersi in piedi: — Oh, non venivate più — e fece per rimettersi in cammino.

— Tu vieni qua, — disse Anna. — mettiti nel mezzo. Ora siamo nel bosco e non voglio che ti sperda.

— Ma se ci sono venuta centomila volte...

— Intanto fai come ti dico io, centomila.

Il bosco finì improvvisamente e si trovarono a camminare su un declivio sassoso, sparso di olivi nani. Davanti avevano la collinetta in cima a cui sorge la Rocca. Ma, prima che a quest'ultima, Anita aveva rivolto la sua attenzione all'ampia vista che si era improvvisamente aperta alla loro destra.

— Oh, com'è bello! — esclamò.

— Questo è niente, — disse Anna. — Vedrai dalla Rocca.

— Si vede anche Volterra?

— Volterra è impossibile. Rimane dalla parte di là. C'è di mezzo il monte.

— Peccato, — disse Anita.

— Se arrivi in cima al monte allora vedi anche Volterra.

— Tu ci sei mai stata? — domandò la bimba.

— Una volta sola, — rispose Anna.

— Quando? — domandò ancora la bimba.

— Quante cose vuoi sapere, — fece Anna. — Mi ci portò il babbo una volta, saranno... quattro anni fa. Si vedono la Corsica, l'Elba...

— Oh, andiamoci, — disse la bimba.

— Sei matta? — esclamò Anna. — Di qui ci vorranno due ore a dire poco. E poi è tutto bosco, non ci riuscirebbe mica di trovare la strada.

da *Il taglio del bosco*
Nistri Lischi, Pisa 1954

(titolo del racconto: *Le amiche*)

• Che cosa vuol dire:

desinare
in continuazione
malgrado che
viottolo
farcela
scoppiare

per conto suo
decrepito
trattenersi
rimettersi in piedi
rimettersi in cammino
declivio sassoso

- Domande relative al testo:

  1. Dove andarono in gita le due ragazze con Franca?
  2. Com'era la giornata?
  3. Perché Anita faceva fatica a camminare?
  4. Era possibile vedere Volterra dalla Rocca?
  5. Che cosa bisognava fare per poter vedere Volterra?

- Riesposizione del testo:

La gita / tempo d'ottobre / castagni / Anita / il bosco / la Rocca / Volterra / la bimba

- Rispondiamo alle seguenti domande:

  1. Le piace andare a fare delle passeggiate nei boschi?
  2. Va a raccogliere i funghi quando è la stagione?
  3. Quali sono le zone verdi della sua città?
  4. Le sembra che siano sufficienti o ha alcune proposte di miglioramento?

- Parliamo di:

  — Importanza delle zone verdi
  (giardini / parchi / bambini / anziani / boschi / parchi naturali...)

  — La Toscana
  (paesaggio / colline / Siena / Volterra / San Gimignano / turismo...)

  — I provvedimenti per la tutela dell'ambiente
  (il catalizzatore / il limite di velocità / mare pulito / impianti di depurazione...)

- Una ricerca:

Cercate gli ultimi dati statistici in merito alla morìa degli alberi e discutetene in classe, commentando se i provvedimenti presi finora hanno portato a un miglioramento soddisfacente o no.

Notizie letterarie

Carlo Cassola è nato a Roma nel 1917, dove ha studiato; ha trascorso gran parte della vita nella Maremma toscana e a Volterra, è stato professore nei licei. È morto nel 1987. Iniziò la carriera di scrittore intorno ai vent'anni collaborando al «Meridiano di Roma», e a «Letteratura». Ha preso parte alla Resistenza. Dopo la guerra ha scritto alcuni racconti lunghi di argomento partigiano, fra i quali il famoso *Taglio del bosco* (pubblicato solo nel 1954). Cassola riconobbe quali suoi maestri Flaubert e Joyce, ai quali infatti si può accostare il modo narrativo, condotto in maniera scarna, teso alla registrazione di minime realtà, alla penetrazione di fatti semplici, di sentimenti piuttosto schivi e gelosi.

Fra le sue opere più conosciute si ricordano *La ragazza di Bube* (1960), *Un cuore arido* (1961), *La visita* (1962), *Il cacciatore* (1964), *Storia di Ada* (1967), *Ferrovia locale* (1968).

Glossario

Una passeggiata nel bosco

desinare	pranzare
in continuazione	senza pausa
malgrado che	nonostante che, sebbene
spronare	stimolare, incitare
viottolo	sentiero fra i campi, via stretta di campagna
farcela	potere, riuscire
scoppiare	non reggere, cedere
bucarsi	pungersi
per conto suo	da solo, indipendente
mazzetta	piccola corda
decrepito	vecchissimo
sennò	altrimenti, in caso contrario
trattenersi	frenarsi, non fare (qualcosa)
rimettersi in piedi	rialzarsi
rimettersi in cammino	continuare a camminare
declivio sassoso	terreno in pendenza con molti sassi
la Rocca	fortezza di grandi dimensioni costruita di solito in cima a un monte o in un luogo elevato

Gianni Rodari

L'ACCA IN FUGA

C'era una volta un'Acca.

Era una povera Acca da poco: valeva un'acca, e lo sapeva. Perciò non montava in superbia, restava al suo posto e sopportava con pazienza le beffe delle sue compagne. Esse le dicevano:

— E cosí, saresti anche tu una lettera dell'alfabeto? Con quella faccia?

— Lo sai o non lo sai che nessuno ti pronuncia?

Lo sapeva, lo sapeva. Ma sapeva anche che all'estero ci sono paesi, e lingue, in cui l'acca ci fa la sua figura.

«Voglio andare in Germania, — pensava l'Acca, quand'era più triste del solito. — Mi hanno detto che lassú le Acca sono importantissime».

Un giorno la fecero proprio arrabbiare. E lei, senza dire né uno né due, mise le sue poche robe in un fagotto e si mise in viaggio con l'autostop.

Apriti cielo! Quel che successe da un momento all'altro, a causa di quella fuga, non si può nemmeno descrivere. [...]

Le chiavi non aprivano piú, e chi era rimasto fuori casa dovette rassegnarsi a dormire all'aperto.

Le chitarre perdettero tutte le corde e suonavano meno delle casseruole.

Non vi dico il Chianti, senz'acca, che sapore disgustoso. Del resto era impossibile berlo, perché i bicchieri, diventati «biccieri», schiattavano in mille pezzi.

Mio zio stava piantando un chiodo nel muro, quando le Acca sparirono: il «ciodo» si squagliò sotto il martello peggio che se fosse stato di burro.

La mattina dopo, dalle Alpi al Mar Jonio, non un solo gallo riuscì a fare chicchirichí: facevano tutti *ciccirici*, e pareva che starnutissero. Si temette un'epidemia.

Cominciò una gran caccia all'uomo, anzi, scusate, all'Acca. I posti di frontiera furono avvertiti di raddoppiare la vigilanza. L'Acca fu scoperta nelle vicinanze del Brennero, mentre tentava di entrare clandestinamente in Austria, perché non aveva passaporto.

Ma dovettero pregarla in ginocchio: — Resti con noi, non ci faccia questo torto! Senza di lei, non riusciremmo a pronunciare bene nemmeno il nome di Dante Alighieri. Guardi, qui c'è una petizione degli abitanti di Chiavari, che le offrono una villa al mare. E questa è una lettera del capo-stazione di Chiusi-Chianciano, che senza di lei diventerebbe il capo-stazione di Ciusi-Cianciano: sarebbe una degradazione.

L'Acca era di buon cuore, ve l'ho già detto. È rimasta, con gran sollievo del verbo chiacchierare e del pronome chicchessia. Ma bisogna trattarla con rispetto, altrimenti ci pianterà in asso un'altra volta.

Per me che sono miope, sarebbe gravissimo: con gli «occiali» senz'acca non ci vedo da qui a lí.

da *Il libro degli errori*
Einaudi, Torino 1964

• Che cosa vuol dire...?

valere un'acca
montare in superbia
beffa
fagotto
apriti cielo!
casseruola
starnutire
clandestinamente
petizione
sollievo

succedere — piantare in asso
rassegnarsi — miope

- Domande relative al testo:

1. Che cosa dicevano le altre lettere dell'alfabeto all'Acca?
2. Che cosa pensava fra sé l'Acca quando era più triste del solito?
3. Che cosa successe dopo che l'Acca fuggì?
4. Dove fu ritrovata?
5. Com'è andata a finire la storia dell'Acca in fuga?

- Con l'aiuto delle seguenti parole facciamo la riesposizione del testo letto:

importanza dell'Acca in Italia / in Germania / viaggio con l'autostop / le chiavi / il Chianti / i galli / al Brennero / Dante Alighieri / di buon cuore

- Chieda al suo vicino di banco:

— Quali lingue parla lei?

— Ha spesso occasione di parlare l'inglese, l'italiano...?

— L'ultima volta che è stato in Italia ha parlato in italiano con successo?

- Parliamo di:

— Importanza delle lingue straniere
(inglese - francese - spagnolo - italiano - tedesco - ... - (esperanto) - turismo - scambi culturali - commercio - politica - tecnica...)

— Mettiamo a confronto i metodi di insegnamento delle lingue straniere di venti anni fa e di oggi
(grammatica - letture - libri di testo - soggiorno all'estero - comunicazione - situazioni quotidiane...)

— Lingue senza frontiere
(es. parole inglesi in altre lingue - pro e contro...)

- Per la prossima volta:

Scrivete una lettera a Laura, la figlia di un vostro amico italiano, che vuole venire a studiare la vostra lingua per quattro settimane nel vostro paese
(informazioni raccolte - quota d'iscrizione - alloggio - svaghi...)

Notizie letterarie

Gianni Rodari è nato a Omegna (Novara) nel 1920.

Ha conseguito nel 1938 il diploma di insegnante elementare, ha insegnato per qualche anno. Dopo la seconda guerra mondiale si è avviato al giornalismo divenendo redattore di «Paese sera», direttore del «Giornale dei genitori», collaborando al «Corriere dei piccoli» e ad alcuni programmi televisivi. Nel 1950 ha iniziato la sua fortunata e ben nota attività di scrittore per l'infanzia con *Le avventure di Cipollino*.

È morto a Roma nel 1980.

Ha scritto in versi e in prosa mettendo in rilievo la sua attenzione ai problemi pedagogici insieme ad una affinata sensibilità per l'infanzia. Il suo stile chiaro e scorrevole, con una felicità sempre più nuova di invenzioni fantastiche, ne distingue in modo singolare l'opera. La sua produzione nota in molta parte del mondo è veramente abbondante.

Si ricordano di lui: *Gelsomino nel paese dei bugiardi* (1958), *Filastrocche in cielo e in terra* (1959), *Favole al telefono* (1960), *Il pianeta degli alberi di Natale* (1962), *Il libro degli errori* (1964), *Le filastrocche del cavallo parlante* (1970), *C'era due volte il barone Lamberto* (1978).

Glossario

L'Acca in fuga

valere un'acca	avere poca importanza
montare in superbia	diventare superbo, arrogante
beffa	derisione, scherno
fagotto	pacco
apriti cielo!	espressione di stupore
succedere	accadere
rassegnarsi	adattarsi
casseruola	tegame con manico
disgustoso	molto cattivo, ripugnante
schiattare	scoppiare
squagliarsi	sciogliersi
starnutire	fare starnuti, per es. quando si ha il raffreddore

clandestinamente	in segreto e contro la legge
torto	ingiustizia, offesa
petizione	richiesta ufficiale
sollievo	conforto
chicchessia	chiunque
piantare in asso	abbandonare
miope	che non riesce a vedere bene gli oggetti lontani

Fabio Tombari

IL CAVALLO

Il vecchio entrò. Come sempre sorprese i cavalli a colloquio. Non che lo sentisse, ma vedeva. Il loro atteggiamento lasciava indovinare un'intesa furtiva, un silenzio immediato.

All'aprirsi della porta correva come al solito un cenno sospetto, una mossa di teste fra un tintinnio di catene, qualche occhiata bianca, e tutti tornavano a celarsi in un atteggiamento falso: quello che aveva ripreso a roder le fave masticava senza fame, l'altro che con la zampa scalzava la paglia sapeva già che non avrebbe trovato nulla.

Il vecchio si chinò a cavarsi i sandali, rimboccò la gonnella di cuoio sul ventre, staccò dal cantone il badile, un forcone, salì sulla lettiera dei sette cavalli bianchi.

«L'ozio vi insudicia» mormorò.

Lo disse piano perché altri da fuori non sentisse. Il governo dei cavalli non riguardava piú lui da tanto tempo. Del resto neppure il servizio delle lettiere gli spettava, ma lo faceva così per un divago. Roma è grande, e non sapeva dove andare. Prese il badile, cominciò a spalare lo stabbio e lo rovesciava sulla carriola. Così il tempo passava.

«È un divago come un altro» pensava il vecchio.

C'è a chi piace trafficare per i mari e lui aveva navigato anche troppo e gli dava fastidio l'artrite; altri cui piace bere il vino coi compagni e raccontare le gesta: lui non poteva più bere. Pazienza. (Prendeva il forcone, smoveva la paglia.) «Poggia!» È un diversivo come un altro. A lui piaceva così. C'è a chi piace fare il politicante, e i politicanti non li poteva soffrire. Diventava pallido. Ad altri piace combattere... (E il vecchio sorrideva, si passava una mano sulla bocca e rideva).

Roma è grande. C'è a chi piace accumular l'oro...

(Appoggiava il forcone e riprendeva la pala, tornava a scalzare il letame.) Del resto non aveva nipoti né figli per i quali arricchire; si sentiva un po' orfano: non aveva che un orto, e non c'è concime che passi lo stabbio dei cavalli.

da *Il libro degli animali*
A. Mondadori, Milano 1935

- Spieghiamo in italiano che cosa vuol dire...:

sorprendere
colloquio
atteggiamento
furtivo
ozio
mormorare
stabbio
trafficare
accumulare
forcone
pala
concime

- Domande relative al testo:

1. Che cosa succedeva nella stalla all'aprirsi della porta?
2. Perché il vecchio continuava a governare i cavalli?
3. Perché non faceva ciò che facevano gli altri?
4. Come si sentiva? E perché?

- Riesposizione del brano letto:

il vecchio / i cavalli a colloquio / uno svago come un altro / vino / fare il politicante / accumulare / orfano / orto

- Parliamo di:

— L'uomo e l'animale
(animali domestici / documentari televisivi / zoo / manifestazioni sportive: corse di cavalli... / corrida / hobby della caccia...)

• Mettiamo a confronto:

— Com'è il rapporto fra l'uomo e l'animale nel suo paese e in Italia? Dite la vostra opinione in merito raccontando di qualche articolo che avete letto sui giornali o di qualche scenetta a cui avete assistito.

• Parliamo di:

— L'uomo e il tempo libero
(in famiglia / da soli / con amici / in vacanza / viaggi-studio / letture / riposo / noia / corsi di aggiornamento...)

— La vita degli anziani
(la terza età / uso del tempo libero / crociere / i nipotini...)

Notizie letterarie

Fabio Tombari nato nel 1899, è stato insegnante elementare per molti anni. Raggiunse di colpo la notorietà con il libro *Tutta Frusaglia* (1929), un'opera di gioiosa freschezza, cronache d'un paese immaginario, posto tra l'Appennino e l'Adriatico, dove il bozzetto realistico si risolve in un lirismo fantastico. Vi si avverte lo spirito di Tartarin di Tarascona. Ma nella opere successive, si attenua il gusto del racconto e viene meno la felicità della fantasia insieme allo spirito avventuroso della prima opera. Al perdurare del gusto fiabesco e della limpidezza della scrittura fa da riscontro un indebolirsi del vigore stilistico, e del fascino narrativo.

Fra i libri più conosciuti di Tombari sono da comprendere: *I sogni di un vagabondo* (1931), *Il libro degli animali* (1935), *I Ghiottoni* (1939), *I mesi* (1954), *Il libro di Tonino* (1955), *L'incontro* (1961), *Pensione Niagara* (1969), *I nuovissimi ghiottoni* (1970).

Glossario

Il cavallo

sorprendere	cogliere all'improvviso
colloquio	conversazione
atteggiamento	modo di comportarsi
intesa	accordo
furtivo	segreto

tintinnio	risonanza con brevi colpi staccati
celarsi	nascondersi
rodere	tritare con i denti
scalzare	alzare, smuovere
cavare	togliere
rimboccare	ripiegare
cantone	angolo
badile	pala per rimuovere sabbia o terra
lettiera	strato di paglia usato per letto del bestiame
ozio	il non fare niente
insudiciare	sporcare
mormorare	dire a bassa voce
divago	divertimento, passatempo, distrazione
stabbio	sterco degli animali di stalla misto a paglia
carriola	piccola carretta per trasportare materiali a breve distanza
trafficare	qui: girovagare
poggiare	posare, lasciare
accumulare	ammucchiare
forcone	grosso attrezzo per ammucchiare e scaricare il letame
pala	attrezzo per caricare materiali
concime	prodotto che aumenta la fertilità del terreno

Cesare Pavese

PABLO E LA CHITARRA

Mi dicevano Pablo perché suonavo la chitarra. La notte che Amelio si ruppe la schiena sulla strada di Avigliana, ero andato con tre o quattro a una merenda in collina — mica lontano, si vedeva il ponte — e avevamo bevuto e scherzato sotto la luna di settembre, finché per via del fresco ci toccò cantare al chiuso. Allora le ragazze si eran messe a ballare. Io suonavo — Pablo qui, Pablo là — ma non ero contento, mi è sempre piaciuto suonare con qualcuno che capisca, invece quelli non volevano che gridare piú forte. Toccai ancora la chitarra andando a casa e qualcuno cantava. La nebbia mi bagnava la mano. Ero stufo di quella vita.

Adesso che Amelio era finito all'ospedale, non avevo con chi dir la mia e sfogarmi. Si sapeva ch'era inutile andarlo a trovare perché gridava giorno e notte e bestemmiava, e non conosceva piú nessuno. Andammo a vedere la moto ch'era ancora nel fosso, contro un paracarro. S'era spaccata la forcella, saltata la ruota, per miracolo non s'era incendiata. Sangue per terra non ce n'era ma benzina. Vennero poi a prenderla con un carretto. Non mi sono mai piaciute le moto, ma era come una chitarra fracassata. Fortuna che Amelio non conosceva piú nessuno. Poi si disse che forse scampava. Io pensavo a queste cose mentre servivo nel negozio, e non andavo a trovarlo perché tanto era inutile, e non parlavo più di lui con nessuno. Pensavo invece, rientrando la sera, ai discorsi che avevo fatto con tutti ma a nessuno avevo detto ch'ero solo come un cane, e non mica perché non ci fosse piú Amelio — anche lui mi mancava per questo. Forse a lui l'avrei detto che quell'estate era l'ultima e tra osterie, negozio e chitarra ero stufo. Lui le capiva queste cose.

Poi si seppe che Amelio era tutto ingessato e le gambe gli morivano. Io ci pensavo giorno e notte e avrei voluto che la gente non mi parlasse piú di lui. Adesso si diceva che con lui quella notte c'era stata una ragazza, ch'era volata dentro il prato senza nemmeno spettinarsi, e che andavano come due matti, erano sbronzi, e falla un giorno falla un altro finisce cosí. Ne dicevano tante. La ragazza me la fecero vedere un mattino che passava sul corso, di fronte al negozio. Era alta, ben messa. Nessuno avrebbe detto vedendola che aveva fatto quel salto. Andava bene per Amelio, questo sí. L'idea che per tutta l'estate avevan corso le autostrade stretti insieme sulla moto, mi fece una rabbia. Valeva anche la pena di spaccarsi la testa. Addesso dicevano che andava a trovarlo. Meno male. Non c'era bisogno che andassimo noi.

Stavo poco in negozio quei giorni. Uscivo senza compagnia e andavo a Po. Mi sedevo su un asse e guardavo la gente e le barche. Era un piacere stare al sole la mattina. Volevo capire perché fossi stufo e perché proprio adesso che mi sentivo come un cane, non volessi piú saperne degli altri.

Pensavo che Amelio non poteva sedersi e non avrebbe camminato mai piú. Amelio viveva per questo — tutto il giorno provava motori — come farebbe adesso a vivere? Forse in barca poteva tornarci. Ma, anche avendo dei soldi, non è la barca che può soddisfare, non la chitarra, non è niente. Lo vedevo da me. Cosa avrei dato per sapere come Amelio viveva prima di rompersi la schiena. Forse perché faceva a meno di chiunque e non diceva quattro parole in un discorso, non mi era mai venuto in mente di parlargliene. Tante sere ero stato con lui — la chitarra suonava e ci piaceva a tutti e due — bevevamo un bicchiere, poi si tornava lui sul corso, io nel negozio.

L'avevo sempre conosciuto con quella giacca impermeabile

da motociclista. Passava un momento in negozio e diceva «Stasera?» Le sue ragazze non le aveva mai fatte vedere. Se all'osteria capitavano degli altri, lui restava al suo tavolo.

da *Il compagno*
Einaudi, Torino 1947

• Spieghiamo in italiano:

dire la mia
sfogarsi
fosso
paracarro
scampare
ingessato
spettinarsi
sbronzo
falla un giorno falla un altro
ben messo

• Rispondete alle seguenti domande:

1. Dove era andato Pablo la notte che Amelio si ruppe la schiena?
2. Perché era inutile andare a trovare Amelio?
3. Di che cosa era stufo Pablo?
4. Perché stava poco in negozio quei giorni?
5. Com'era stata la vita di Amelio prima dell'incidente e come si presentava dopo quel grave incidente?

• Riesposizione:

merenda in collina / chitarra / gridare più forte / Amelio all'ospedale / solo come un cane / la ragazza di Amelio / ben messa / stufo / poco in negozio / senza compagnia / Amelio e le conseguenze dell'incidente

• Con un po' di fantasia:

descriviamo il personaggio di Pablo
Credo che Pablo *abbia*...

• Descrivete com'era l'amicizia fra Paolo e Amelio prima di quella notte.

• Immaginate che Pablo e la ragazza di Amelio si incontrino e commentino le cose accadute e il da farsi. Lavorando in due preparate il dialogo e presentatelo ai vostri compagni.

- Parliamo di:
  - Amicizia
    Perché il proverbio dice
    «Chi trova un amico trova un tesoro»?

- Parliamo di:
  - Musica
    Quale genere di musica preferite?
    Qualcuno di voi suona uno strumento musicale?
  - Canzoni
    Quali canzoni italiane conoscete?
    Quali cantanti italiani preferite?
    Avete sentito parlare del Festival di Sanremo, la manifestazione canora che si tiene ogni anno a febbraio?

Notizie letterarie

Cesare Pavese è nato a Santo Stefano Belbo (Cuneo) nel 1908. Orfano di padre, timido e scontroso, si impegnò in numerose e varie letture durante gli studi al liceo D'Azeglio di Torino, dopo aver lasciato la terra natale nelle colline delle Langhe. Laureatosi in lettere nel 1930, sentì l'influenza degli esponenti dell'antifascismo Gobetti e Gramsci; collaborò alla rivista «La Cultura» con traduzioni e saggi sulla letteratura americana. A causa delle idee antifasciste venne confinato nel 1935 in Calabria. Nel 1936 pubblicò la sua prima raccolta di poesie nel libro *Lavorare stanca*, e nel 1941 il primo racconto *Paesi tuoi*. Negli anni successivi aumentarono la sua produzione letteraria, ma anche le sue inquietudini e le delusioni, con profondi turbamenti psicologici. Nel 1950, poco dopo aver vinto il premio «Strega» con l'opera *La bella estate*, morì tragicamente.

Il tema della poetica di Pavese è incentrato nel rapporto uomo-donna. La donna è il calore della vita, la ragione prima dell'esistenza. Concetti questi che spiegano le sue delusioni sentimentali, l'assenza del motivo di esistere, di fronte ad una sopravvenuta incomunicabilità, che risente nel complesso l'influsso della letteratura decadente.

Si debbono particolarmente ricordare fra le opere di lui *Il compagno* (1947), *Dialoghi con Leucò* (1947), *La luna e i falò* (1950), *Verrà la morte e avrà i tuoi occhi* (1950).

Glossario

Pablo e la chitarra

schiena	parte dorsale del corpo
merenda	spuntino nel pomeriggio
dire la mia	dire, esporre la mia opinione
sfogarsi	dire a qualcuno le proprie preoccupazioni e provare così un senso liberatorio, di leggerezza
fosso	canale
paracarro	paletto sul lato della strada che ne indica il margine
forcella	parte della motocicletta che sostiene il mozzo della ruota
incendiarsi	prendere fuoco
scampare	salvarsi
ingessato	reso immobile con una fasciatura intrisa di gesso
spettinarsi	guastarsi la pettinatura
sbronzo	ubriaco
falla un giorno falla un altro	ripetendo la stessa cosa un giorno e poi un altro (falla = fa' + la)
ben messo	di bell'aspetto
soddisfare	accontentare
fare a meno di	fare senza
mi era venuto in mente di	avevo pensato a

Piero Chiara

CON LE CARTE IN MANO

Mi è capitato di leggere un elzeviro di Mario Soldati sullo scopone [1] [...]

La storia di Soldati mi ha fatto venire in mente innanzitutto la prima delle brutte figure che ho fatto allo scopone, quando avevo vent'anni e mi attirava, più dello scopone, il poker. In un albergo del mio paese dove stavo leggendo il giornale nel bar, un giorno fui chiamato a fare il quarto da tre distinti e gravi signori amanti dello scopone che non riuscivano, per mancanza di giocatori, a combinare la partita. Mi era toccato per compagno un anziano colonnello, capo di una commissione governativa incaricata di una modifica al confine di Stato. A metà della prima partita mi trovai con tre fanti in mano, che non avevo mai trovato l'occasione di giocare. Calai il primo. Il colonnello mi sbarrò gli occhi in faccia: «Come! Lei aveva un fante e non l'ha mai giocato?».

Annuii, e quando venne il mio turno calai un altro fante.

Il colonnello impallidì, posò le carte, scattò in piedi, si mise le mani nei capelli e guardando il soffitto mandò un lungo ululato. Poi abbassò lo sguardo sopra di me.

«Ne ho un terzo» mormorai «mi faccia pure fucilare nella schiena».

[1] *scopone*: gioco di carte italiano (n.d.r.).

Ma quanti altri episodi di gioco mi fa ricordare Soldati con la sua storia! In tempo di guerra, quando ero internato in Svizzera, capitai un giorno a Lugano, in licenza dal campo di lavoro dove ero ristretto, nel Giura bernese. Entrato al Caffè Olimpia, vidi il mio amico Coduri seduto a un tavolino con le carte in mano e di fronte un avversario dall'aria assai temibile. Perdeva, come sempre. Non lo vedevo da mesi, cioè da quando giocavo con lui al caffè, in Italia, nella nostra piccola città.

«Coduri!» gridai.

Alzò gli occhi e mormorò il mio nome.

«Aspetta un momento» disse «finisco la partita e sono da te. Ho delle cose straordinarie da raccontarti: sono vivo per miracolo!»

Aspettai due ore, poi dovetti andare. «Torno domani» gli dissi.

«Ti aspetto!» gridò, senza togliere gli occhi dalle carte.

Tornai per tre giorni di seguito, ma il Coduri non riusciva mai a smettere il gioco. Temeva che l'avversario gli scappasse o che la fortuna, arrivando, non lo trovasse al suo posto.

Dopo averlo aspettato due ore anche la terza volta, dovetti andarmene senza potergli parlare. Era finita la mia licenza e dovevo prendere il treno per il mio campo d'internamento.

Lo scopone non conduce a tali estremi. È un gioco lento, fatto di lunghe riflessioni, una strategia di sparigli e soprattutto uno sforzo di memoria e d'intuizione. Non solo occorre ricordare le carte uscite, ma bisogna indovinare, da quelle che gli avversari e il compagno giocano, le carte che hanno ancora in mano: dove sono i sette e principalmente dov'è il settebello. È difficile far mattina giocando a scopone, mentre è facilissimo giocando a poker.

Ricordo una partita, in vero breve, con Soldati, Mario Spagnol e Arnoldo Mondadori, a Verona, in un albergo. Si giocava da un'ora, quando il vecchio Mondadori, che aveva l'impressione di non essere in vincita, chiese una verifica della situazione. Risultò che perdeva alcune migliaia di lire. Rimase scandalizzato, posò le carte e se ne andò a dormire.

Rimasti in tre, e aborrendo tutti dalle partite col ''morto'', il gioco ebbe termine.

da *40 storie negli elzeviri del ''Corriere''*
A. Mondadori, Milano 1983

• Che cosa vuol dire...?

elzeviro
scopone
combinare
sbarrare gli occhi
annuire
ululato
licenza
spariglio
sforzo
intuizione
settebello
aborrire

• Rispondete alle seguenti domande:

1. Come descrive Chiara la sua prima brutta figura nel gioco dello scopone?
2. Quale fu la reazione del suo compagno di gioco?
3. Chi incontrò un giorno a Lugano, al Caffè Olimpia?
4. Perché Coduri non trovò mai tempo per l'amico che non vedeva da mesi?
5. Come si era svolta la partita di poker a Verona con Arnoldo Mondadori?

• Riesposizione del racconto letto:

vent'anni / fare il quarto / colonnello / fante / fucilare / Coduri / due ore / tre giorni / licenza finita / scopone / poker / breve partita / scandalizzato / partite col ''morto'' / termine

• Chieda al suo vicino di banco:

— se gioca a carte ogni tanto
— quali giochi conosce e quali preferisce
— se conosce delle persone che sono accaniti giocatori, come o quasi come Coduri.

• Parliamo di:

— Il gioco come forma di intrattenimento, divertimento (giochi di società - salone giochi con flipper - casinò)

— Il desiderio di vincere, di tentare la fortuna
(giocare i soldi - giocare la schedina - vincere al Lotto)

• Con un po' di fantasia:

Immaginate di avere vinto al Lotto. Che cosa fareste con tutti quei soldi? Quali desideri vorreste far diventare realtà?

• Mettiamo a confronto:

— Credete che si tenti di più la fortuna in Italia o nel vostro paese? E perché?

— Esiste anche nella vostra lingua un'espressione del tipo: «Fortunati in amore, sfortunati nel gioco»?

— Secondo voi perché si è fissato nella lingua questo modo di dire?

Notizie letterarie

Piero Chiara nacque a Luino nel 1913 da padre siciliano; seguì studi irregolari, nel 1930 emigrò in Francia. Tornato in Italia nel 1943 fu condannato dal Tribunale speciale fascista, ma sfuggì all'arresto andando in Svizzera, dove ha insegnato nel liceo italiano di Zugberg.

Ha iniziato la carriera letteraria collaborando a quotidiani e riviste, come «L'Italia», «La Gazzetta del popolo», «Il Caffè», «Paragone». Solo a cinquant'anni rivelò la vocazione di narratore, pubblicando *Il piatto piange* (1962).

Chiara è morto nel 1986.

In apparenza la sua produzione potrebbe inserirsi nella letteratura di trattenimento, tuttavia egli non è un semplice raccontatore di storie provinciali, poiché i suoi libri sono densi di toni ironici, a volte addirittura grotteschi. L'ambiente più caro alla sua narrativa è il paesaggio lombardo del Lago Maggiore, anche se un interesse preciso viene documentato nei confronti della Sicilia nel libro *Con la faccia per terra* (1965), dove il realismo fa le sue migliori prove nella descrizione di un viaggio nell'Isola, dove si affollano i ricordi della terra degli avi.

Fra le opere più felici si collocano: *Il balordo* (1967), *L'uovo al cianuro* (1969), *I giovedì della signora Giulia* (1970), *La stanza del vescovo* (1976).

Glossario

Con le carte in mano

capitare	succedere, accadere
elzeviro	articolo d'argomento artistico, storico, letterario che un quotidiano pubblica in apertura di terza pagina
scopone	gioco di carte
combinare	organizzare
mi era toccato per compagno	avevo ricevuto come compagno
fante	nelle carte napoletane, la figura che viene dopo il '7'
sbarrare gli occhi	aprire largamente gli occhi in seguito a stupore
annuire	dire di sì
ululato	lungo grido lamentoso (p. es. del lupo, del cane)
licenza	permesso concesso ai militari di assentarsi dal servizio
avversario	rivale, nemico
temibile	che fa paura
spariglio	nello scopone, mossa con cui si disfa una coppia di carte, in modo che una carta rimanga scompagnata
sforzo	grande lavoro, atto di tensione
intuizione	comprensione pronta e rapida
settebello	nelle carte napoletane, sette di denari, che nello scopone vale un punto
aborrire	detestare, odiare
partita col ''morto''	in alcuni giochi di carte, giocare soltanto in tre, ma distribuire le carte come se si fosse in quattro

Gianni Celati

APPUNTAMENTO DI LAVORO

Quel sarto italiano l'ho incontrato alla stazione. Quando gli ho chiesto se posso trovare lavoro mi ha chiesto che lavoro. Non un lavoro fisso, un lavoro per qualche mese, pago i debiti e guadagno un po' di soldi per andare in Norvegia.

Mi è venuta questa idea, di andare verso il nord, sempre piú a nord e poi in Finlandia e magari al polo.

Allora sí avrei potuto raccontare delle vere avventure, al rientro.

Il sarto italiano telefona a un suo compare; ha chiesto se poteva aiutarmi. Questo compare era un magliaro, uno che vende le cose per le strade, faceva chissà che traffici. Il magliaro mi ha dato appuntamento per un altro giorno, in un bar intitolato Cosmos nella zona del porto.

Ho dovuto studiare la carta geografica per arrivarci; le due bambine contente che lavoro, cosí pago i debiti e potevamo fare quel viaggio.

Ci ho messo mezza giornata per trovare il posto, cambiare tre volte la sotterranea; mi perdo un po' perché sto ancora pensando a Gisella e ai lasciamenti d'amore, non mi va giú.

Quel giorno ho visto tre gobbi e uno sciancato, prima di arrivare al locale detto Cosmos; ormai buio e si metteva anche a piovere.

Il detto locale Cosmos è un posto dove suonavano orchestrine, rock and roll casinista e chiassone; un fracasso per niente, ragazzi che non sapevano suonare.

Chitarre elettriche e batteria, delle facce da pesci morti, per quattro soldi e un bicchiere di birra tutta la sera a schitarrare questi ritmi; che volevano far finta di essere genere Elvis Presley ma erano solo un disastro.

E la gente a battere le mani e muovere il culo; un po' di casino e gli bastava, ecco l'epoca. I Beatles a quell'epoca suonavano da un'altra parte, un po' lontano ma nella stessa zona; non si chiamavano neanche Beatles e non sapevano fare neanche loro.

Il magliaro si riconosceva al volo dalla giacca a quadrettoni tagliata all'italiana; una bella cravatta e una camicia italiana, io sembravo un polacco vicino a lui.

Tipo con mani lunghe col mignolo rinforzato da un'unghia a coltello; unghia lunga cioè. Mi trattava bene, ero amico del suo amico, che lavoro mi piacerebbe fare?

Gli ho detto: non so, guadagnare un po' di soldi senza troppo sgobbo, un lavoro dove non ci devo mettere la testa ma neanche troppo i muscoli, non so se mi spiego.

Parlavamo nel bar dove non si capiva niente per via della musica; siamo usciti e andati in una birreria regolare.

Rumore anche lì, gente di tutti gli stampi; marinai, più che altro falsi marinai o marinai in pensione, col fazzoletto al collo e il berretto da marinaio a visiera.

Gli ho detto che volevo andare in Norvegia e poi in Finlandia; magari stabilirmi in Finlandia e farmi finlandese. Non capivo se mi ascolta o no mentre gli spiego la passione che mi è venuta di farmi finlandese.

Piú in là due marinai si sono messi a urlarsi; uno ha alzato la sedia per spaccargliela sul cranio a quell'altro, però tenuto da altri falsi marinai, aspettava con la sedia alzata che venissero a tenerlo; secondo me tutta una finta per fare un po' di scena da film con Robert Mitchum.

Insomma tutta la sera a girare per birrerie e posti; io a spiegargli il mio sogno di diventare finlandese, lui si guardava in giro, incontra conoscenze; mi offriva da bere e fumare, ma di lavoro non se ne parla.

da *Lunario del paradiso*
Einaudi, Torino 1978

• Che cosa vuol dire...?:

lavoro fisso
rientro
compare
sotterranea
non mi va giù
gobbo
sciancato
casinista
fracasso
al volo
di tutti gli stampi
berretto a visiera
stabilirsi
tutta una finta

• Rispondete alle seguenti domande:

1. Che tipo di lavoro cerca Giovanni?
2. Gli è stato facile trovare il bar Cosmos?
3. Com'è questo locale?
4. I Beatles erano già famosi a quell'epoca?
5. Che tipo di gente c'era nella birreria?
6. Hanno parlato di lavoro quella sera Giovanni e il magliaro? Hanno concluso qualcosa?

• Raccontiamo:

— Quello che sappiamo di Giovanni
(lavoro per qualche mese / debiti / Norvegia / Finlandia / Gisella / lasciamenti d'amore / superstizioso / polacco / sogno)

• Parliamo di:

— Il fenomeno della disoccupazione giovanile:
(tra gli operai - tra gli insegnanti - persone con titolo accademico - richiesta di personale specializzato...)

— La reazione dei giovani
In Italia molti giovani che non hanno un lavoro fisso hanno occupazioni precarie. Sono fattorini, bigliettai, camerieri, spalatori di neve, portieri di notte, bagnini, parcheggiatori, Babbi Natale.
È lo stesso anche nel vostro Paese?

- Parliamo di:

  — Vivere all'estero
  Chieda al suo vicino di banco:

  Le piacerebbe vivere in un altro paese?
  In quale e perché?
  Quali sono secondo lei i problemi che si devono affrontare se si vive all'estero?

Notizie letterarie

Gianni Celati è nato a Bologna nel 1937, narratore e critico, ha collaborato alla rivista «Periodo ipotetico», legato alle esperienze delle avanguardie. Ha avviato l'attività di narratore con il romanzo *Le Comiche* (1971), dove fa risaltare il gusto per il comico-grottesco, per mezzo dell'uso di un linguaggio volutamente antiletterario, in cui non trovano posto le costruzioni sintattiche, ma sono sempre più frequenti in maniera quasi esasperata le onomatopee, mentre del tutto assenti sono le particelle subordinate. La fantasia dei suoi racconti risulta sostenuta dalla originalità sperimentale del mezzo linguistico.

Ha pure pubblicato *Le avventure di Guizzardi* (1973), *La banda dei sospiri*, (1976), *Lunario del paradiso* (1978).

Glossario

Appuntamento di lavoro

lavoro fisso	lavoro stabile e non saltuario
debito	soldi che si devono restituire
rientro	ritorno
compare	compagno, amico
traffico	commercio
sotterranea	metropolitana
non mi va giù	non mi piace per niente, non posso sopportarlo
gobbo	persona che ha la schiena curva

sciancato	persona storpia, che non si regge bene in piedi
casinista	confusionario
fracasso	gran rumore
schitarrare	suonare alla chitarra a lungo e non bene
al volo	prontamente, subito
sgobbo	fatica
di tutti gli stampi	di tutti i tipi
berretto a visiera	copricapo maschile con davanti la visiera per ripararsi dal sole
magari	forse, eventualmente
stabilirsi	andare ad abitare
spaccare	rompere
tutta una finta	tutta una scena, una finzione

LAVORARE STANCA

Traversare una strada per scappare di casa
lo fa solo un ragazzo, ma quest'uomo che gira
tutto il giorno le strade, non è piú un ragazzo
e non scappa di casa.

Ci sono d'estate
pomeriggi che fino le piazze son vuote, distese
sotto il sole che sta per calare, e quest'uomo, che giunge
per un viale d'inutili piante, si ferma.
Val la pena esser solo, per essere sempre più solo?
Solamente girarle, le piazze e le strade
sono vuote. Bisogna fermare una donna
e parlarle e deciderla a vivere insieme.
Altrimenti, uno parla da solo. È per questo che a volte
c'è lo sbronzo notturno che attacca discorsi
e racconta i progetti di tutta la vita.

Non è certo attendendo nella piazza deserta
che s'incontra qualcuno, ma chi gira le strade
si sofferma ogni tanto. Se fossero in due,
anche andando per strada, la casa sarebbe
dove c'è quella donna e varrebbe la pena.
Nella notte la piazza ritorna deserta
e quest'uomo che passa, non vede le case
tra le inutili luci, non leva piú gli occhi:
sente solo il selciato, che han fatto altri uomini
dalle mani indurite, come sono le sue.
Non è giusto restare sulla piazza deserta.

Ci sarà certamente quella donna per strada
che, pregata, vorrebbe dar mano alla casa.

CESARE PAVESE
da *Lavorare stanca*
Einaudi, Torino 1943

- Sembra anche a voi questo il messaggio ultimo di Pavese?

  ... sì... no ... forse ...

- Allora, lavoriamo con questa poesia!

  — Leggete e rileggete per la prossima volta i versi di Cesare Pavese e mettete per iscritto i pensieri che vi vengono in mente man mano che leggete e riflettete.

  — In classe poi ognuno parlerà agli altri della sua interpretazione e ci sarà così un ricco scambio di idee.

GLOSSARIO

traversare	attraversare, passare da una parte all'altra
scappare	fuggire, andare via di nascosto
fino	(letterario) perfino, addirittura
calare	scendere, tramontare
sbronzo	persona che ha bevuto troppo, ubriaco
attaccare discorsi	prendere l'iniziativa di parlare con altre persone
attendere	aspettare
varrebbe la pena	avrebbe senso
selciato	pavimento per strade e piazze
dar mano a	dedicarsi a, iniziare

Grazia Deledda

NOSTRA SIGNORA DEL BUON CONSIGLIO

Oggi, miei piccoli amici, voglio raccontarvi una storia che vi commoverà; se non vi commoverà, non sarà certamente per colpa mia o delle cose che vi narro, ma perché avete il cuore di pietra.

C'era una volta in un villaggio della Sardegna, per il quale voi non siete passati e forse non passerete mai, un uomo cattivo, che non credeva in Dio e non dava mai elemosina ai poveri.

Quest'uomo si chiamava don Juanne Perrez, d'origine spagnuola, ed era brutto come il demonio.

Abitava in una casa immensa, ma nera e misteriosa, composta di cento e una stanza, e aveva con sé, per servirlo, una nipotina di quindici anni, chiamata Mariedda.

Mariedda era buona, bella e devota quanto suo zio era cattivo, brutto e scomunicato. Mariedda aveva i più bei capelli neri di tutta la Sardegna, e i suoi occhi sembravano uno la stella del mattino, l'altro la stella della sera.

Don Juanne non voleva bene a Mariedda, come del resto voleva male a tutti i cristiani della terra; e, potendo, le avrebbe cavato gli occhioni belli; ma per un ultimo scrupolo di coscienza non aveva il coraggio di farle danno; solo quando lei ebbe compiuto i quindici anni, pensò di sbarazzarsene maritandola a un brutto uomo del villaggio. Ella però non volle acconsentire a questo infelice matrimonio, e il brutto uomo del villaggio, per vendicarsi dell'umiliante rifiuto, una notte sradicò tutte le piante del giardino di don Juanne e pose sulla soglia della casa, ove Mariedda e lo zio abitavano, un paio di corna e due grandissime zucche; e ogni notte passava sotto le finestre cantando canzoni cattive.

Impossibile descrivere l'ira di don Juanne, e l'avversione che d'allora cominciò a nutrire contro la povera Mariedda.

Basta dire che un giorno la prese con sé nella stanza più remota della casa, e le disse:

— Tu non hai voluto per marito Predu Concaepreda (Pietro Testadipietra). Beh! Siccome tu devi assolutamente maritarti, preparati a sposar me.

La poveretta rimase, come suol dirsi, di stucco: poi esclamò:

— Ma come va quest'affare? Voi non siete mio zio? E da quando in qua gli zii possono sposar le nipoti?

— Tu sta' zitta, fraschetta! Io ho dal papa il permesso di sposarmi con chi voglio, e di sposarmi anche senza prete.

E ho deciso di ammogliarmi con chi mi pare e piace. Tu pensa bene ai fatti tuoi. O quell'uomo del villaggio, o me.

Ti lascio una notte per deciderti.

E se n'andò chiudendola dentro.

Appena sola, Mariedda si mise a piangere e a pregare fervorosamente Nostra Signora del Buon Consiglio, perché l'aiutasse e la ispirasse.

Ed ecco, appena fatta notte, le apparve una donna bellissima, tutta circondata di luce, vestita di raso e di velo bianco, con un mantello azzurro e un diadema d'oro simile a quello della regina di Spagna.

Donde era entrata?

Mariedda non poteva spiegarselo, e stava a guardar a bocca aperta la bella Signora, quando questa le disse con voce che sembrava musica di viola:

— Io sono Nostra Signora del Buon Consiglio, ed ho sentito la tua preghiera. Senti, Mariedda: chiedi a tuo zio otto giorni di tempo, e se in capo a questi egli non avrà deposto il suo pensiero, chiamami di nuovo. Consèrvati sempre buona, e mai ti mancherà il mio aiuto e il mio consiglio.

Ciò detto sparve, lasciando nella stanza una luce di luna e un odore di gelsomino.

Mariedda, che provava una viva gioia, pregò tutta la notte; e il domani chiese a suo zio otto giorni di tempo. Sebbene a malincuore, don Juanne glieli concesse [...]

da *Giaffà. Racconti per ragazzi*
Sandron, Palermo 1931

- Spieghiamo in italiano con parole o espressioni sinonime che cosa vuol dire:

demonio
scomunicato
scrupolo di coscienza
sbarazzarsi di
acconsentire a
sradicare

soglia
rimanere di stucco
fraschetta
deporre
sparire
a malincuore

- Rispondete alle seguenti domande:

1. Come viene descritto don Juanne Perrez? Che cosa sappiamo di lui?
2. E di Mariedda, la sua nipotina?
3. Perché ad un certo punto don Juanne cominciò a nutrire per Mariedda un'avversione ancora più grande?
4. Che cosa fece Mariedda allorché si ritrovò sola, chiusa in una stanza?
5. Come era la Signora del Buon Consiglio?
6. Che cosa disse a Mariedda?

- Raccontiamo con le nostre parole la storia che abbiamo letto:

villaggio della Sardegna / don Juanne Perrez / Mariedda / maritarla a un brutto uomo / rifiuto / vendetta / matrimonio con Juanne Perrez / preghiere / apparizione / Nostra Signora del Buon Consiglio / otto giorni di tempo / a malincuore

- Con un po' di fantasia immaginiamo come sarà andata a finire questa storia.

Uno dopo l'altro, una frase ciascuno, costruiamo la fine di questa favola.

Avrà avuto lieto fine?

• Parliamo di:

— Perché si raccontano le favole ai bambini?
— Quali sono le favole più conosciute?
— Qual era la vostra favola preferita e perché?
— Pensate che i fumetti potrebbero essere considerati "favole moderne" Sì... No... Discutiamone insieme.

• E continuando a parlare di fumetti chiedete al vostro vicino di banco:

— Lei legge volentieri qualche giornalino o fumetto? Quale?
— Quale personaggio preferisce e perché?
— Ha mai letto dei fumetti in italiano, per esempio Topolino, Asterix...?

Notizie letterarie

Grazia Deledda nacque a Nuoro nel 1871. Condusse un periodo di letture e di studi irregolari. Aveva ereditato da uno zio sacerdote una ricca biblioteca che le permise di conoscere fra gli altri De Amicis, Dumas, Bourget. Appena tredicenne rivelò naturale disposizione alla carriera letteraria con bozzetti e novelle di carattere provinciale sardo, collaborando a piccoli giornali e periodici come «La stella di Sardegna», «L'Avvenire di Sardegna», «Ultima moda». Si trasferì a Roma nel 1900. L'ispirazione veristica a fondo regionale, con cronache paesane, storie e pensieri elementari suggellò in grande misura la sua prima produzione narrativa concretatasi nel 1899 con il romanzo *La giustizia.* Con il volgere degli anni la sua prosa assunse maggiore interesse e validità, liberatasi in gran parte dalla tematica regionalistica, con un sentimento più denso di cristiana pietà, e di ricca umanità in un racconto non privo d'incanto e di più sofferta attenzione alla natura e al paesaggio.

Nel 1927 le venne consegnato il premio Nobile per la letteratura.

Grazia Deledda è morta nel 1936.

Fra i suoi libri più ricchi di fascino e di poesia meritano particolare attenzione: *Elias Portolu* (1903), *Canne al vento* (1913, *La madre* (1920), *Annalena Bilsini* (1927), *La Chiesa della solitudine* (1936).

Glossario

Nostra Signora del Buon Consiglio

demonio	diavolo
scomunicato	sacrilego, empio
cavare	togliere, tirare fuori
scrupolo di coscienza	timore, paura di agire male
sbarazzarsi di	liberarsi di
acconsentire a	dire di sì a, accettare
umiliante	offensivo, avvilente
sradicare	strappare, togliere le piante con la radice
soglia	entrata, ingresso
corna	parte del capo di alcuni tipi di animali (es. corna del toro, corna del bue)
ira	rabbia enorme
rimanere di stucco	rimanere meravigliato
fraschetta	persona leggera e volubile (specialmente donna)
raso	tessuto liscio e lucente
diadema	corona reale
in capo a questi giorni	entro questi giorni
deporre	abbandonare, lasciare
sparire	andare via all'improvviso, scomparire
gelsomino	pianticella con i fiori stellati bianchi o gialli molto profumati
a malincuore	non volentieri, di malavoglia

Luigi Malerba

LE GALLINE PENSIEROSE

Una gallina gallinologa dopo avere studiato molto il problema disse che le galline non erano animali e non erano nemmeno uccelli. — E allora che cosa sono? — domandarono le compagne. — Le galline sono galline, — disse la gallina gallinologa e se ne andò via impettita.

Nel pollaio si accese una discussione se fosse piú bella l'alba o il tramonto. Si formò il partito delle galline albiste e quello delle galline tramontiste.

Con il passare del tempo le une dimenticarono l'alba e le altre dimenticarono il tramonto, rimase solo l'odio delle une contro le altre.

Quando chiesero alle galline del pollaio quale fosse il loro piú grande desiderio, una disse che avrebbe voluto trovare un vermetto lungo un chilometro, un'altra disse che avrebbe voluto cantare il suo coccodè alla televisione, un'altra disse che desiderava trovare la volpe dentro una trappola per beccarla sul naso. L'ultima interrogata rispose che avrebbe voluto morire di vecchiaia.

Una gallina letterata annunciò trionfante che aveva scoperto in una storia della letteratura uno scrittore che si chiamava Giacinto Gallina. Il gallo intervenne per dire che non si montassero la testa per cosí poco.

Una gallina enciclopedica aveva imparato a memoria piú di mille parole. A questo punto credeva di essere diventata sapiente e quando stava con le compagne ogni tanto diceva «rombo» oppure «cratere» oppure «ortica». A chi le domandava che cosa significassero quelle parole lei rispondeva che il mondo è fatto di parole e che se non ci fossero le parole non ci sarebbe nemmeno il mondo, comprese le galline.

da *Le galline pensierose*
Einaudi, Torino 1980

Notizie letterarie

Luigi Malerba è nato a Berceto (Parma) nel 1927. Ha esordito come soggettista e sceneggiatore nel cinema nel 1955. Ha avviato il suo discorso letterario nelle riviste «Il Verri», «Il Caffè», «Marcatrè».

Nei suoi romanzi si avvertono chiaramente le tendenze ad una letteratura ispirata alle correnti delle avanguardie, dove il privilegio e l'impegno si risolvono nella funzione del linguaggio quale assoluto protagonista, come appare già nel primo racconto *La scoperta dell'alfabeto* (1963). Un umorismo surrealista svolto in un discorso teso al non senso accompagna il suo sforzo verso un gusto cerebrale che lo avvicina a Ionesco e a Borges.

Fra le sue opere principali vanno ricordate *Il serpente* (1965), *Salto mortale* (1968), cinque volumi di racconti per ragazzi su «Millemosche» scritti in collaborazione con Tonino Guerra (1970-1971), *Il protagonista* (1973), *Diario di un sognatore* (1981).

Glossario

Le galline pensierose

gallinologo	studioso della materia «galline» (gallino*logo*, come astro*logo*, polito*logo*, ecc.)

impettito	diritto, con il petto in fuori
volpe	l'animale che dà la caccia alle galline
beccare	colpire con il becco
intervenire	prendere la parola
montarsi la testa	esaltarsi, entusiasmarsi
sapiente	colto, erudito
rombo	figura geometrica
cratere	bocca di un vulcano
ortica	erba a foglie dentellate che dà prurito

Alberto Arbasino

LE RAGAZZE DEL MIO PAESE

Non mi piacciono le ragazze del mio paese. Se decido di sposarmi non andrò mai a prenderne una. Per la maggior parte di loro la ricerca del marito ha gli aspetti di una vera ossessione, tutte le energie e le attività e tutta la vita di tutti i giorni fissate su quell'unico scopo troppo scopertamente; ogni mezzo piú sfruttato messo in opera; e a me questa caccia o questo mercato piace molto poco.

Le madri sono peggiori di qualunque cosa, e sarebbero da ammazzare tutte subito. Le allevano fin da piccole con quella idea fissa, e continuano a ruminare il medesimo discorso. Le ho sentite per strada o alle feste parlare delle villeggiature o del prezzo dei vestiti, e ce n'è sempre una che dice all'altra «la mia è più magra, e la sua è più grassa, ma quest'anno sono piú di moda le magre delle grasse», oppure «la mia ha già fatto cinque balli, e la sua uno di meno, la mia non ne perde neanche uno, e quello che la fa ballare adesso è un ottimo partito, anche se è un po' giovane, ma sta mettendo la testa a posto, e mi han detto che i suoi hanno un'ottima posizione, ci siamo informati, poi hanno una zia ricchissima senza figli con case e terra...», e così sempre, il partito. In questo modo le rovinano già dai primi anni. [...]

Io rappresento una «buona sistemazione», o un «ottimo partito», è fuori discussione, e per questo non ho mai ricevuto altro che le gentilezze ipocrite, ma tengo gli occhi bene aperti, e conosco quelle «tecniche» almeno come loro. [...]

Io non voglio una donna soltanto [...] splendida, e quando l'hai fatta vedere in giro tutto finisce lì e poi a che cos'altro serve, visto che è muta; né una trascurata che ciabatti in cucina; né una matta per i figli che badi soltanto a loro; né una intellettuale attaccabottoni; né una che vuole il suo mestiere e vivere la sua vita.

Cerco una ragazza serena e di buon senso. «È preparata?» chiedeva una certa suocera. Non si pretendono delle doti eccezionali. Che sia carina; e di buon gusto: è una virtù che si ha o non si ha; e quando uno la possiede, si manifesta in tutto, nel vestire, nel camminare, nel muoversi, pettinarsi, mangiare, nel «tratto», nella «linea» (lasciamo perdere il mito della «classe», qui...); e nel parlare, soprattutto. Che abbia «una certa» cultura, nel senso che sappia almeno l'italiano, e «qualche cosetta» in piú, per seguire i bambini, che poveretti, quante volte, tutto quel che imparano dalla madre è la confusione fra il congiuntivo e il condizionale.

Che non spenda come una pazza. Che sappia tenere una casa e farla andare avanti senza sbalzi, sappia imporsi alla cameriera con calma, sappia affrontare l'entrata degli ospiti senza l'angoscia, sappia inserire una ferma coerenza tra le altre virtù materne.

Non credo di richiedere tanto. Ma l'esperienza fa un quadro pessimistico: ricordo troppe osservazioni sceme, ricordo troppe ragazze da cui non ho mai udito che l'espressione «he, he» (risatina gutturale); oppure «che matto!» [...]

Eppure ci sono ragazze — nessuno chiede «che sappiano tutto» — ma sono in grado di sostenere una conversazione da treno, con i diversi argomenti che si toccano successivamente, come d'abitudine, senza ripetere una quantità insostenibile di luoghi comuni. E per esempio — non si pretende che siano al corrente con i *vient-de-paraître* [1] ma sanno perché Manzoni è di-

[1] Espressione francese che significa 'libri appena pubblicati', 'novità letterarie' e in genere 'novità culturali'.

verso da D'Annunzio, sanno il nome dell'attuale presidente del consiglio (e forse anche se comanda piú lui o il presidente della repubblica), sanno domandare una informazione stradale in qualche lingua straniera, conoscono alcune città importanti, hanno visto degli spettacoli, sono in grado di distinguere una cosa bella da una brutta, quello che si può dire e fare, e quello che è meglio di no.

Un tempo c'erano da noi delle ragazze come queste (ragazze che si erano mosse, avevano visto, sapevano parlare, erano «preparate»), esistevano come ne esistono dappertutto, in qualunque luogo a partire da quel certo numero di abitanti; ma poi si sono tutte sposate o amareggiate o andate via.

da *Le piccole vacanze*
Einaudi, Torino 1957

(titolo del racconto: *Agosto, Forte dei Marmi*)

• Che cosa vuol dire...?

ipocrita
trascurato
suocera
sbalzo
imporsi (a qualcuno)
gutturale
insostenibile
luogo comune
distinguere
amareggiarsi

• Spiegate con le vostre parole quello che ha inteso dire l'autore con le seguenti espressioni:

1. A me questo mercato piace molto poco
2. Le madri continuano a ruminare il medesimo discorso
3. Io rappresento una «buona sistemazione», o un «ottimo partito»
4. Io non voglio una intellettuale attaccabottoni
5. Ci sono ragazze che sono in grado di sostenere una conversazione da treno

Il "Gran National" – lo avete seguito? Vi piace scommettere
avete puntato su un cavallo?
Giocate mai alla lotteria? Pensate che abbia portato dei benefici o ha una cattiva influenza.
L'Albania – pensate che le NU avrebbero dovuto intervenire

• Domande relative al testo:

Prima di formulare le domande relative al testo, ditemi, che nome diamo a questo ragazzo? Romeo? Vi va bene? Allora:

— Perché a Romeo non piacciono le ragazze del suo paese?
— Perché le madri rovinano le figlie?
— Perché Romeo tiene gli occhi bene aperti?
— Quando una ragazza è "preparata" per il matrimonio?
— Perché Romeo è deluso? Che tipo di esperienze ha fatto?

• Riesposizione del testo:

Adesso che abbiamo letto questo racconto conosciamo il tipo di donna che Romeo cerca nella vita.
Una frase ciascuno, descriviamo questa donna "ideale":

serena / di buon senso / preparata / di buon gusto nel... nel... nel... / "una certa" cultura / "qualche cosetta" in più / spendere / cameriera / ospiti / informazioni stradali

• Parliamo di:

— Come sono le ragazze di oggi e come la pensano a proposito del matrimonio?
— E i ragazzi la pensano come è descritto qui?
— E le mamme, come si comportavano una volta, prima che le figlie fossero "maritate"? E oggi quali sono le strategie matrimoniali delle mamme?
— E le statistiche che cosa dicono a proposito di matrimoni, di coppie che convivono e di divorzi?
Raccontate di quello che avete letto o sentito in proposito.

• Con un po' di fantasia:

a) prepariamo, ognuno col proprio vicino, una scenetta:

due mamme parlano dei loro figli/figlie "in età di matrimonio"
Presto, che vogliamo ridere!

b) oppure come alternativa:

alcuni di voi immaginano che Romeo si sia — finalmente! — sposato e che dopo alcuni anni di matrimonio incontri un suo ex-compagno di scuola e che i due parlino fra l'altro del loro matrimonio e della loro donna.

Che cosa si racconteranno?
Presentate il vostro dialogo a tutta la classe.

Notizie letterarie

Alberto Arbasino è nato a Voghera (Pavia) nel 1930; dopo una prima formazione culturale in provincia, studiò nella facoltà di scienze a Pavia, poi a Milano dove si laureò in giurisprudenza. Arbasino è uno scrittore dai molteplici interessi; ha viaggiato a lungo in Europa e in America.

Ha collaborato a «Il Caffè», «Il Verri», «Il Ponte» e in qualità di corrispondente a «Il Giorno» di Milano. Egli è uno degli ultimi esponenti delle avanguardie; la sua narrativa si distingue per il valore etico e di costume, ma non solo, egli presta continua attenzione ai fermenti culturali e ai fenomeni linguistici, con una larga esperienza letteraria derivante dalla sicura conoscenza di scrittori come Gramsci, Brecht, Barthes, Goldman. Se l'uso frequente di espressioni popolari ne distingue la spregiudicatezza verbale, la frequente presenza di termini stranieri appropriati ne rivela la larga conoscenza delle lingue moderne. Il suo primo racconto fu pubblicato nel 1957, *Le piccole vacanze*.

Tra le sue opere più valide per il valore e il consenso risultano: *L'anonimo lombardo* (1959), *Parigi o cara* (1961), *Fratelli d'Italia* (1963), *La controra* (1964), *La bella di Lodi* (1972), *Il principe costante* (1972), *Specchio della mie brame* (1974).

Glossario

Le ragazze del mio paese

ruminare	masticare a lungo il cibo in bocca (qui: ripetere insistentemente)
villeggiatura	vacanza, specialmente estiva, per riposo e divertimento, in località adatta
rovinare	danneggiare
ipocrita	falso
trascurato	che non ha cura di sé
attaccabottoni	che parla troppo dando fastidio
suocera	madre del coniuge (qui: futuro)
sbalzo	variazione improvvisa

imporsi (a qualcuno)	far valere la propria autorità (su qualcuno)
gutturale	di gola
insostenibile	insopportabile
luogo comune	argomento o frase convenzionale
essere al corrente	essere informato
distinguere	vedere la differenza
amareggiarsi	diventare triste, addolorato

Carlo Emilio Gadda

DUE EX-COMPAGNI DI SCUOLA

Eucarpio Vanzaghi, uomo probo e serio, dirigeva un'industria. Non era commendatore. Godeva fama di psicologo, cioè di saper leggere nel cuore della gente, uomini e donne, grandi e piccini. [...] Il suo lavoro lo «assorbiva»; non tuttavia fino a impedirgli, quando dava il caso, di adoperarsi per gli altri. Dacché l'acume psicologico e la sicurezza di giudizio, in Eucarpio, si accompagnavano alla bontà.

Aveva cinquantacinque anni, un orologio d'oro da polso. Gli affari, spesso, lo mettevano in treno: allora, più che mai consultava l'orologio.

Aveva studiato, lavorato, perseverato: «lottava», come si suol dire: per sé, per i figli. Aveva moglie, tre figli: molto ben piantati, molto ben cresciuti. In casa, oltre le consuete provvidenze, c'era telefono e radio: acqua calda, tappeti. Tappetoni di Monza.

La famiglia e il lavoro gli avevano procurato le «soddisfazioni» più alte, la sana gioia del vivere.

Qualche frattura di gamba dell'uno o dell'altro figlio skiante [1] o qualche migliaio di lirette per le ripetizioni di matematica, non lo avevano eccessivamente inquietato. Poteva, poteva. [...]

Quali erano le persone più vicine al suo cuore, dopo la moglie e i figlioli?

[1] *skiante*: sciante (= che scia) (n.d.r.).

Erano le sorelle, i cognati, i cugini, le cugine, i nipoti, gli abiatici e i parenti tutti: le mogli dei cugini e i mariti delle cugine. L'ingegner Bottoni, vecchio furbo e sorridente dalla bazza di befana, avendo sposato in seconde nozze una terza e molto matura cugina di Eucarpio, era subito entrato nell'ambito degli amatissimi. Per gli ex-compagni di scuola, poi, Eucarpio aveva una specie di culto. Gli ricordavano, chissà! gli anni giovani [...]

Ignorava, perché li voleva ignorare, certi stanchi motti, o proverbi, come chi dica: parenti serpenti, amici nemici. Fedele agli amici, fratello ai cugini, innamorato delle zie, entusiasta delle sue sorelle, la Giovanna, la Emma, la Teresa, avrebbe fatto, per i compagni di scuola, altrettanti pezzi del cuore: uno per ogni ex compagno, o compagna, di scuola. [...]

Tra gli ex-compagni di scuola, tra i dilettissimi, c'era Prosdocimo: al quale Eucarpio si sentiva legato da una fraterna amicizia. Ma la vita di Prosdocimo, con la seconda guerra mondiale, o forse anche innanzi, aveva preso una cattiva piega. Anzitutto... era andato a stare in un'altra città molto meno industre di quella su dove tutt'e due avevano declinato rose [2] al ginnasio. Aveva lasciato un impiego redditizio, e molto serio, per occuparsi di quisquilie. Si era ammalato di stomaco: aveva rinunciato a prender moglie: e viveva solo, come narrano che ami vivere il gufo: (e non è vero, prende moglie anche il gufo). Abitava quel che lui diceva una misera soffitta: un magnifico sopralzo, in realtà, costruito dal padron di casa in persona, ch'era ingegnere di gran merito, tant'è vero che era generale del genio. Nella soffitta ci pioveva, ma questo non c'entra. Prosdocimo godeva la disistima dei vicini: se una serva cantava, a mattina, se uggiolava un cane alla luna, da un orto abbandonato, gli prendevano le peggiori bizze. E poi non aveva più un soldo. E poi era pazzo.

Su questo punto, Eucarpio, uomo di grande perspicacia quale s'è detto, non aveva ormai alcun dubbio. Comunque, nella sua altrettanto grande bontà, non aveva esitato ad offrire qual-

[2] Riferimento alla declinazione latina ''rosa, rosae'' (n.d.r.).

che aiuto all'amico, da fronteggiar la magra e la durezza degli anni, dopo la pioggia delle bombe, in attesa della «ricostruzione immancabile».

Prosdocimo, inopinatamente, aveva accettato le sovvenzioni, cioè alcuni prestiti, uno dopo l'altro: «Se credi, se proprio vuoi, se puoi...» aveva detto ogni volta, guardando a terra, con quel suo fare che pareva incerto, e forse non era, con quel suo stile tentennante, tergiversante: pure, il circolare assegno della «banca d'interesse nazionale» (una delle cinque) gli era sparito tra i diti in men che non si dice, ogni volta in un soffio: come il re di picche tra le digitanti dita di un mago.

Eucarpio, nel suo buon cuore, meditò il fattibile: seguitò intanto a esercitare l'acume che l'aveva provveduto fin là: trovò che il rimedio di tutti i mali, per Prosdocimo, sarebbe stato... il gran toccasana del matrimonio. Ma, dato che era pazzo, chi proporgli? Quale vittima offrire... a un così biscornuto Minotauro?

[...]

I casi della vita portarono la signora Eulalia, vedova fulgente, nella città meno industre: dove, spesso, le occorreva di prendere il treno, in direzione della più industre.

Quando Eucarpio, per una felicissima combinazione, la incontrò sul rapido, mutò il posto con lo sbigottito colonnello che le sedeva dirimpetto. E seppe... tutto!

Che Prosdocimo era stato da lei sorpreso alla U.P.I.M. nell'atto di perpetrare il verecondo acquisto... di un paio di bretelle. (Risero: la signora con una risata ampia, gioconda, piena di bellissimi denti).

[...]

Eucarpio... Voi che cos'avreste fatto? Be', lui prese il treno a sua volta e andò a stanare quel pazzo: e gnene disse. Gli disse: «Vergognati. Quello che stai combinando non lo so, non mi risulta: e non mi interessa di saperlo. So, comunque, che non è degno di un uomo,» così disse: «che non è degno del mio amico, del mio vecchio compagno. Consumi gli ultimi risparmi, e gli ultimi anni, senza concluder nulla. Morirai nella neve. I miei aiuti non possono continuare all'infinito. Il tuo contegno è quello di un demente. La tua anomalia psichica, che è indiscutibile...»

«Perché indiscutibile?...» chiese tristemente Prosdocimo.

«Perché sì. Lasciami dire. La tua anomalia psichica, dicevo, non interrompermi!, ti serve magnificamente a pretesto per gabbare il prossimo...».

da *I racconti* - *Accoppiamenti giudiziosi*
Garzanti, Milano 1963

(titolo del racconto: *La cenere delle battaglie*)

• Che cosa vuol dire...?

probo
acume
redditizio
disistima
uggiolare
bizza
inopinatamente
tergiversare
fulgente
sbigottito
perpetrare

• Sottolineate nel testo le seguenti espressioni o frasi e spiegate poi quello che l'autore ha voluto dire con esse:

1. La sana gioia del vivere
2. Per gli ex-compagni di scuola Eucarpio aveva una specie di culto
3. La vita di Prosdocimo aveva preso una cattiva piega
4. Eucarpio, uomo di grande perspicacia
5. La tua anomalia psichica ti serve magnificamente a pretesto per gabbare il prossimo

• Dopo aver riletto ognuno per proprio conto il brano descrivete:

— chi è Eucarpio
psicologo / il lavoro / gli altri / ... anni / i figli / in casa / i parenti / gli ex-compagni di scuola

— chi è Prosdocimo
la soffitta / i vicini / il lavoro / la moglie / i soldi / i prestiti / gli acquisti / anomalia psichica

• Che cosa vi ispirano i detti:

''parenti serpenti'', ''amici nemici''?

Siete d'accordo?
Perché?

e l'affermazione

''il rimedio di tutti i mali sarebbe stato il gran toccasana del matrimonio''?

Il matrimonio può essere in qualche caso un toccasana?

• Gadda descrive il rapporto fra Eucarpio e Prosdocimo come un rapporto di fraterna amicizia. Conoscete anche voi l'amicizia fraterna o è solo un ideale che viene descritto nei libri? Raccontate delle vostre esperienze personali.

Notizie letterarie

Carlo Emilio Gadda è nato a Milano nel 1893, discendente da una famiglia dell'alta borghesia. Studiò a Milano e nel 1912 si iscrisse alla facoltà di ingegneria ma si laureò solo nel 1920, dopo aver partecipato alla prima guerra mondiale. Lavorò come ingegnere industriale in Sardegna, in Lombardia e in Argentina. Lasciata la professione si dedicò alla letteratura, trasferendosi prima a Firenze e poi a Roma per collaborare alla radio-televisione. Già negli anni 1928-1929 aveva iniziato la stesura del racconto *La meccanica*, pubblicato molto più tardi nel 1973, l'anno della morte. L'anticonformismo è una delle note essenziali che identificano la prosa di Gadda, una rivolta contro gli schemi convenzionali contenutistici e formali. Egli, sollecitato da un genuino spirito di inchiesta, penetra nella realtà sociale e psicologica, con una prosa ricca di qualità poetiche e umane. Con furore inventivo fa uso del dialetto in molte sue pagine per approdare a uno dei capolavori più famosi: *Quer* [1] *pasticciaccio brutto de* [2] *via Merulana* (1957) condotto con uno sperimentalismo linguistico sorretto da un'acutissima coscienza critica, costituito da un ininterrotto scambio fra lingua letteraria e dialetto romanesco.

Fra le sue opere occupano un posto particolare: *La Madonna dei filosofi* (1931), *Il Castello di Udine* (1934), *L'Adalgisa* (1944), *La cognizione del dolore* (1963), *Gli accoppiamenti giudiziosi* (1963).

[1] *Quer, de*: forme romanesche rispettivamente per *quel, di*.

GLOSSARIO

Due ex-compagni di scuola

probo	onesto, retto
commendatore	titolo onorifico (dato originariamente all'amministratore di un beneficio religioso o militare)
acume	intelligenza
perseverare	agire con costanza e fermezza
abiatico	nipote (figlio di un figlio o di una figlia)
bazza di befana	mento molto sporgente come ha la befana
redditizio	che fa guadagnare bene
quisquilia	cosa da nulla, piccolezza
genio	organismo civile o militare formato da tecnici, per lavori di interesse pubblico o militare
disistima	disprezzo, scarsa considerazione
uggiolare	(detto del cane) lamentarsi con insistenti mugolii, per fame o dolore
bizza	accesso di collera, capriccio
perspicacia	intelligenza acuta e pronta
inopinatamente	contrariamente alle possibili previsioni
tergiversare	prolungare il discorso per evitare di decidere
biscornuto	(bis-cornuto) qui: povero, sfortunato
fulgente	splendente
sbigottito	stupefatto, molto meravigliato
perpetrare	commettere azioni illecite, disoneste
verecondo	timido
bretelle	strisce elastiche per tenere su i pantaloni
indiscutibile	sicuro ed evidente

Luciano De Crescenzo

MANAGER SI DIVENTA

Ma guarda chi si rivede: Granelli, corso vendite IBM febbraio '61, senese, compagno di camera e di banco. Non era cambiato per niente, anzi, aveva pure lo stesso vestito, quello blu scuro col righino bianco. No, questo era impossibile: probabilmente Granelli era uno di quelli che quando vanno in negozio finiscono con lo scegliere sempre lo stesso modello.

«Come va?» disse Granelli. «Benvenuto a Palazzo».

«Grazie» rispose Luca. «Ma lo sai che nemmeno lo sapevo che lavoravi pure tu in sede?»

«Io in sede?! Caro Perrella, io ci sono nato in questo edificio. Non fo per dire, ma se non fosse per me la pregiata ditta IBM ITALIA sarebbe già finita a puttane. Ricordati che il sottoscritto guarda, sorveglia, scruta, e, senza che nessuno se ne accorga, alla fine decide. Per cui, se nei tuoi desideri c'è anche quello di fare una rapida e brillante carriera, soltanto un consiglio ti posso dare: resta sempre amico del qui presente ingegner Granelli».

Sempre lui, il vecchio Granelli. Luca non aveva fatto neanche in tempo a dire buongiorno che già si era proposto come protettore ufficiale.

«Ti ringrazio», disse Luca «però, a dir la verità, non è che io abbia tanta voglia di far carriera».

«Ohi, ohi, Perrella, e come cominci male! Articolo uno: al

Palazzo puoi fare tutto quello che vuoi, puoi lavorare e far finta di lavorare, puoi lisciare la Direzione Generale e la puoi accusare di sfruttamento della classe operaia, una sola cosa ti viene proibita ed è quella di dire a voce alta che non hai intenzione di far carriera».

«Grazie a Dio, non tutti gli uomini sono uguali: ci sono anche quelli che non sono ambiziosi».

«Gli uomini IBM lo sono sempre. Ricordati che gli *IBM-men* devono essere alti, magri, vestiti di scuro e pieni di voglia di far carriera. Te [1] devi far carriera, devi diventare più alto, più magro, altrimenti si offende la ditta e, soprattutto, non puoi venire in ufficio in scarpe da week-end con le suole di gomma».

«D'accordo, però fai l'ipotesi di uno a cui la carriera non sembri tanto importante: gli altri, gli arrivisti, dovrebbero essere contenti, se non altro perché hanno un avversario di meno».

«Per niente! Il potere piace proprio perché suscita invidia. Se quelli che stanno sotto la smettono d'invidiare, me lo dici che divertimento ci sarebbe ad avere il potere? Le regole vanno rispettate: chi sta sopra deve godere e chi sta sotto deve patire. Te [2], Perella, giurami che non dirai più simili bischerate, anzi, ogni tanto ricordati di andare dal tuo capo a lamentarti che non stai facendo carriera. [...]».

da *Zio Cardellino*
A. Mondadori, Milano 1981

[1] *Te*: familiare per *tu* (n.d.r.).
[2] Vedi la nota precedente (n.d.r.).

• Spiegate che cosa vuol dire in italiano:

scrutare
accorgersi di qualcosa
protettore
far finta di
lisciare
ambizioso
suola
arrivista
avversario
suscitare
bischerata

- Avete capito il senso globale del testo? Allora dite:

  1. Chi è Granelli? Com'è vestito? Dove lavora?
  2. E quali funzioni ha nella ditta?
  3. Luca Perrella ha molta voglia di far carriera?
  4. Come sono gli IBM-men?
  5. Cosa deve fare Perrella per fare carriera?

- Cercate di spiegare che cosa ha inteso dire l'autore con queste frasi:

  1. Non fo per dire, ma se non fosse per me la pregiata ditta IBM ITALIA sarebbe già finita a puttane
  2. Puoi lisciare la Direzione Generale

- Siete d'accordo su quanto afferma l'ingegner Granelli?

  «Il potere piace proprio perché suscita invidia»
  «Chi sta sopra deve godere e chi sta sotto deve patire»

- Parliamo di... carriera!

  — I vostri colleghi, il vostro capo, sono degli arrivisti?
  — E voi stessi come vi considerate, siete ambizioni nel lavoro o preferite osservare chi ha il potere?

  Lavoriamo prima in coppie e poi collettivamente: ognuno di voi racconta quello che il suo vicino gli ha raccontato nell'intervista a due.

Notizie letterarie

Luciano De Crescenzo è nato a Napoli nel 1928. Ingegnere per più di vent'anni presso la IBM a Milano, nel settore dei calcolatori elettronici, è divenuto improvvisamente scrittore. Ha pubblicato nel 1970 un libro di grande successo, *Così parlò Bellavista*.

Opera anche nel campo della cinematografia come regista e sceneggiatore. Il successo letterario deriva dalla chiarezza del linguaggio, ma soprattutto dalla umana cordialità, mediata da un sorriso semplice e bonario, che rivela ricchezza di sentimenti, e con viva semplicità volge lo sguardo alla realtà quotidiana delle piccole cose.

Ha scritto anche: *Raffaele*, *La Napoli di Bellavista*, *Zio Cardellino*, *Storia della filosofia greca*.

Glossario

Manager si diventa

pregiato	che ha valore
scrutare	guardare, osservare, esaminare con attenzione e minuziosamente
accorgersi di qualcosa	notare all'improvviso qualcosa che prima non si era notato
protettore	persona che difende e cura gli interessi di un altro
far finta di	fingere di
lisciare	accarezzare (p. es. il pelo del gatto); qui: adulare
ambizioso	che ha gran desiderio di successo, potere, onori
suola	parte della scarpa che poggia a terra
arrivista	persona che ha come scopo principale di arrivare in poco tempo e a qualunque costo ad un'alta posizione sociale, economica, politica
avversario	antagonista, rivale, nemico
suscitare	produrre, generare, causare
patire	soffrire
bischerata	schiocchezza

LA FAMIGLIA MILLEPIEDI

Millepiedi era cosí disoccupato e cosí povero che cercava di convincere i figli a mangiare una sola volta al giorno.

— Guardate che mangiare troppo fa male alla salute, guardate che ci sono anche dei ricchi che mangiano solo una volta al giorno.

Ma i figli si lamentavano e piangevano per la fame. Così Millepiedi e la moglie decisero di trasferirsi dal Sud al Nord con i figli e tutta la loro roba, cioè niente, in cerca di lavoro.

Per non sbagliare, la famiglia Millepiedi si era incamminata verso il Nord sulla grande Autostrada, i due genitori in testa, i tre piccoli dietro.

Dopo un bel po' di strada Millepiedi padre si era guardato intorno e aveva detto che secondo lui il Nord era già incominciato.

Ai lati dell'Autostrada si vedevano infatti dei palazzoni alti alti e, tirando su con il naso, si sentiva odore di bruciato.

Vide un tale con la faccia da padrone e gli domandò se per caso poteva dargli un lavoro. Ma questo gli rispose che lui aveva bisogno di braccianti, cioè di gente che lavora con le braccia e non con i piedi.

— A giudicare dalla risposta, se non siamo proprio al Nord ci manca poco, — disse Millepiedi alla moglie.

Camminarono sull'Autostrada ancora per parecchi giorni. Una sera che erano tutti molto stanchi e non ce la facevano più a muovere i piedi, trovarono un'automobile ferma con il muso voltato verso il Nord. Vi salirono sopra e aspettarono che si mettesse in moto.

Viaggiarono per una notte intera e la mattina dopo sbarcarono in una città molto grande dove si sentiva un fortissimo odore di bruciato e le case erano così alte che non si riusciva a vedere il tetto.

— Questa volta siamo veramente arrivati al Nord, — disse Millepiedi tirando su con il naso.

Verso sera Millepiedi vide un altro tale con la faccia da padrone e gli domandò se poteva farlo lavorare.

— Ho bisogno di manovali, — disse quello, — cioè di gente che lavora con le mani e non con i piedi.

Millepiedi allora incominciò a sfogliare i giornali per orientarsi sul lavoro da cercare. I giornali parlavano di certi calciatori che venivano pagati centinaia di milioni per prendere a calci un pallone con i piedi. Millepiedi pensò che quello era un lavoro adatto per lui. Se quei tali che avevano solo due piedi venivano pagati centinaia di milioni, lui che di piedi ne aveva mille lo avrebbero pagato parecchi miliardoni.

— Ho trovato l'America! — disse Millepiedi.

Si presentò al comandante della squadra di calcio con due piedi in tasca e gli altri novecentonovantotto piedi bene in vista. Gli risero in faccia e lo mandarono via dicendo che aveva troppi piedi.

Dopo molto cercare, Millepiedi finalmente trovò lavoro presso un artigiano che dipingeva le mattonelle smaltate per i bagni e le cucine e poi le vendeva ai ricchi italiani e americani.

Millepiedi doveva camminare su un tampone di vernice e poi sulle mattonelle bianche dove lasciava i segni dei suoi mille piedi come una bella decorazione. Su certe mattonelle doveva camminare in senso circolare, altre le doveva semplicemente attraversare in diagonale secondo le istruzioni del padrone. Invece di scrivere dietro le mattonelle «hand made», che vuol dire fatte a mano, questo fece scrivere «feet made», che vuol dire fatte con i piedi. Le vendite aumentarono di quattro volte.

Millepiedi si era sistemato con tutta la famiglia in una casetta nella periferia della grande città e con i soldi che guadagnava riuscivano a mangiare tre volte al giorno quasi tutti i giorni della settimana. Avrebbe voluto mettere da parte anche un po' di soldi per mandare a scuola i tre piccoli Millepiedi, ma il padrone non voleva saperne di aumentargli la paga. Si era perfino messo a piangere dicendo che gli affari gli andavano male e che il mestiere di padrone era pieno di rischi e di preoccupazioni.

Una mattina Millepiedi si affacciò alla finestra e vide che durante la notte i tetti e le strade erano diventati tutti bianchi. Capì subito che si trattava della neve e andò a svegliare la moglie.

— È venuta giù la neve!

La moglie si affacciò alla finestra. Non aveva mai visto la neve, ma ne aveva sentito parlare.

— Si sa che d'inverno al Nord piove la neve, non c'è niente di strano.

La signora Millepiedi si stropicciò gli occhi, si mise addosso una vestaglia e scese sulla strada insieme al marito. Provarono a mettere i piedi nella neve e si accorsero che era molto fredda, quasi gelata. Allora si ricordarono che per camminare sulla neve ci volevano le scarpe.

Millepiedi si mise in tasca i soldi dell'ultima paga e andò in un negozio a comprare le scarpe per i figli che dovevano andare a scuola.

— Vorrei tremila scarpe, — disse Millepiedi dopo aver fatto un rapido conto: tre figli, mille piedi ciascuno e quindi mille scarpe per tre, che fa appunto tremila.

Il padrone del negozio lo guardò in modo strano e poi disse che gli avrebbe venduto tutte le scarpe che voleva, purché pagasse.

Per pagare tremila scarpe per i figli, Millepiedi dovette farsi prestare i soldi dal padrone dove lavorava. I piccoli ebbero le loro scarpe per camminare sulla neve, ma per pagare il debito tutta la famiglia ricominciò a mangiare solo una volta al giorno come quando abitavano nel Sud e Millepiedi era povero e disoccupato.

LUIGI MALERBA
da *Storiette tascabili*
Einaudi, Torino 1984

(titolo del racconto: *Millepiedi e Millescarpe*)

Glossario

disoccupato	che non ha un lavoro
artigiano	persona che esercita un'attività produttiva con strumenti di lavoro di sua proprietà e utilizzando eventualmente manodopera poco numerosa
tampone di vernice	cuscinetto impregnato di vernice
stropicciarsi gli occhi	sfregarsi forte gli occhi con le mani
paga	stipendio

• Adesso che abbiamo letto e riletto questa favola dei nostri tempi e che abbiamo anche guardato le spiegazioni riportate nel glossario, ditemi:

— Vi è piaciuta questa favola?
— È divertente? E perché?
— Come viene descritto il Nord?
— E quali sono le cose, le frasi che vi sono piaciute più di tutte? E perché?
— Che cosa avrà voluto dirci Malerba con questa favola tratta da *Storiette tascabili?*

Vitaliano Brancati

VISITARE IL SUD E... SVENIRE!

[...]

I viaggiatori si sgranchivano, sbadigliavano lamentosamente, e scendevano l'uno dopo l'altro, appoggiandosi ai fucili e agli ombrelli... Così dunque si viaggiava nel '44, e così viaggiò la famiglia Tesc, italiano dell'Alto Adige, che si recava per la prima volta in Sicilia.

La famiglia era composta di cinque persone: Anna, i genitori, la zia e la governante. Anna aveva diciotto anni [...]

Del Sud Anna aveva paura, e le prime stazioni del viaggio non erano servite a rinfrancarla. A mano a mano che la corriera si allontanava dal Polo, gli uomini si facevano più tarchiati, accigliati e pelosi [...] Tutti gli uomini, al suo passaggio, vecchi e giovani, si davano a fare bruscamente qualche cosa: tossivano, si schiarivano la voce, si tiravano su la giacca, si passavano il bastone da una mano all'altra, si guardavano negli specchi dei negozi, si aggiustavano la cravatta, inforcavano le lenti, accendevano la pipa o la sigaretta [...]

Anna si recò lesta lesta nella sua camera, con in mano un moccolo stridente che mandava gli ultimi guizzi. Si spogliò in tutta fretta, esitando a toccare perfino la propria veste, per i gemiti strani che mandava la seta, avendo premura di riportare il buio per quetare le mosche che ronzavano nuvolose sotto la volta; indossò una vestaglia bianca, si gettò sul letto, e spense la candela.

Ma un'ora dopo qualcosa mosse furtiva dei passettini sulla sua pelle.

Anna accese la candela che mandò un lampo sul letto; e in quel lampo il lenzuolo sfavillò, tutto bianco, tranne in un punto che parve un buco, un soldo, un occhio.

«La cimice!», gridò Anna, saltando dal letto, fuori di sé. «La cimice!». [...]

Finalmente trovò le imposte del balcone e con molto stento le aprì: la grande notte del Sud era al suo colmo, pienissima di stelle e di foglie scure, con profumi che strisciavano nell'aria [...]

D'un tratto, la candela, il cui stoppino era rimasto rosso come un filo di brace, a causa forse di un soffio di vento, svampò e si accese.

Una forte luce illuminò la camera.

Che mai accadeva? Era sorto il sole?... Ma in quel punto, ella sentì vellicarsi dal solito passettino, e questa volta sulla guancia, vicino alla bocca. Afferrò la candela, corse allo specchio del lavabo, si guardò: le parve di avere un chiodo ficcato nella guancia, poi le parve di avere un buco, finalmente vide che lì, sulla sua pelle, presso la sua bocca, stava la cimice! Che fare? Dove fuggire? A chi chiedere aiuto? Lanciò un urlo e svenne...

da *Il vecchio con gli stivali e altri racconti*
Bompiani, Milano 1945

(titolo del racconto: *La ragazza e la cimice*)

• Che cosa significa in italiano...?

sgranchirsi
rinfrancare
bruscamente
lesto
furtivo
le imposte
con molto stento
afferrare
lavabo
svenire

• Descrivete:

— chi è Anna
— che tipo di ragazza è
— perché ha paura del sud
— quale disavventura le è capitata

• Continuate adesso voi il racconto, con un tantino di fantasia!

Allora: Anna lanciò un urlo e svenne, poi...

• A gruppi di tre o quattro lavoriamo insieme dicendo:

— se siamo già stati nel sud dell'Italia
— quali città abbiamo visitato
— che cosa ci ha colpito in particolare e perché
— se abbiamo letto o sentito parlare delle differenze che esistono fra il nord e il sud dell'Italia, per es. a livello industriale

• E ancora:

— Qual è il motivo per cui in molti paesi si riscontra un «problema nord-sud»?

— Com'è la questione nord-sud nel vostro paese?
(Come si esprimono, per es., i nativi del nord quando parlano dei nativi del sud, e viceversa?)

— E in Italia?

• In plenum presentiamo i lavori di gruppo per uno scambio di idee ed esperienze.

Notizie letterarie

Vitaliano Brancati nacque a Pachino (Siracusa) nel 1907; laureato in lettere a Catania, si trasferì a Roma, dove insegnò negli istituti magistrali. Brancati prima di avviare il suo debutto nella narrativa è stato scrittore di teatro; nel 1926 pubblicò il dramma *Féodor*, mentre il primo romanzo uscì nel 1950, *L'amico del vincitore*. Brancati è morto a Torino nel 1954.

Incline alle dottrine fasciste nei primi anni della loro affermazione, se ne distaccò poi lentamente, divenendo uno dei più intelligenti scrittori antifascisti del tempo.

La politica, l'erotismo e la satira di costume, in particolare nei confronti della Sicilia alla luce del neorealismo ispirarono un processo all'uomo e alla società del suo tempo; con un atteggiamento fra moralistico e umoristico egli concilia la lezione di Pirandello con quella di Gogol. Se l'ambiente siciliano e i suoi personaggi di romanzi come *Don Giovanni in Sicilia* (1941) e *Il bell'Antonio* (1949) trovano una felice rappresentazione, la pigra atmosfera romana occupa il romanzo *Paolo il caldo*, incompiuto e pubblicato postumo nel 1955, come il *Diario romano* edito solo nel 1961.

Dei suoi libri oltre a quelli qui citati, per la narrativa vanno segnalati: *Singolare avventura di viaggio* (1934), *Gli anni perduti* (1941), *Il vecchio con gli stivali e altri racconti* (1945). Né va dimenticato fra le opere teatrali almeno *La governante* (1966).

Glossario

Visitare il sud e... svenire!

sgranchirsi	sciogliere gli arti o il corpo dall'irrigidimento dovuto all'immobilità o al freddo
rinfrancare	rassicurare, rendere sicuro
tarchiato	forte, robusto
accigliato	oscuro in viso
bruscamente	improvvisamente
inforcare le lenti	mettersi gli occhiali
lesto	svelto
moccolo	residuo di candela
furtivo	qui: senza quasi farsi sentire
sfavillare	risplendere di luce intensa
le imposte	i due sportelli di una finestra o di una porta
con molto stento	con molta difficoltà
colmo	grado massimo
svampare	ardere all'improvviso
vellicare	fare il solletico
afferrare	prendere e tenere stretto con forza
lavabo	lavandino
svenire	perdere i sensi

Aldo Palazzeschi

LA BOMBA

— Bum!

I primi a vederla furono due pensionati comunali affetti da gotta.

— Bum!

— Ah!

— Eh!

— Ih!

— Una bazzecola.

— Può bastare il minimo urto, un piccolo contatto, il calore, un raggio di sole: m'intende?

— Vede l'asta [1] a quel terrazzo?

— Un consolato?

— Austria?

— Paraguay, credo.

— E allora?

— È perfettamente lo stesso.

Giunse una servuccia che stiracchiava una bambina per il braccio.

— Bum!

— Eh!

— Ah!

[1] *asta*: per la bandiera (n.d.r.).

— Ih!
— Mamma mia!
— Bomba... bomba... potrebbe essere una bomba.
— Sarà quella di Madrid?

Giunse un ragazzo di macelleria col panierone vuoto infilato a spalla.

— Bum!
— Eh!
— Ah!
— Non s'avvicini per carità.
— Benedetta imprudenza.
— I giovani...
— Non hanno cervello.
— Il cervello ce l'hanno, ma è come se non l'avessero.
— Giustissimo.
— Alto là! — fu gridato a una vettura.
— Che cosa *essere* questo? [2]
— Bum!
— Noooo...
— E le guardie? Le guardie cosa fanno, Santo Iddio!
— Nulla.
— Già.
— La città corre un serio pericolo! I cittadini...
— Sono scarse di numero.
— E di zelo.

Passò un cittadino scettico senza voltarsi nemmeno.

— Eh!
— Ah!
— Ih!
— Rinvoltata in un cencio di balla...
— Al solito.
— E Parigi?

Giunse un cittadino di dodici anni.

[2] L'uso non appropriato e generalizzato dell'infinito indica convenzionalmente che sta parlando uno straniero (n.d.r.).

— In un cencio di balla!

Il cittadino di dodici anni fece l'atto di raccogliere un sasso.

— Misericordia!

— Accidenti ai ragazzi!

— Ih!

Il garzone di macelleria gli misurò sopra la testa il panierone vuoto [3].

— I ragazzi non ci dovrebbero essere in questo mondo.

— Se non ci fossero i ragazzi non ci sarebbero nemmeno i vecchi — gli disse l'altro nell'orecchio.

— È vero, non ci avevo pensato.

I pensionati gottosi tirarono un respiro, la servuccia si riebbe, tutti si riavvicinarono.

— Bum!

— Ih!

— E Porto Arthur? [4]

— I giapponesi.

— Ih!

— E i Dardanelli? [5]

— Ih!

— La Turchia.

— Oh!

— Mi capisce.

— Una bazzecola.

— Non si sa mai... la forma è strana.

— È una pentola.

— Bum!

— Come quella di Madrid.

— Oh!

S'aggiunsero un barrocciaio, un frate e due ragazzine linfatiche. Un altro cittadino scettico passò senza voltarsi.

[3] Cioè, fece il gesto di darglielo in testa.

[4] Città cinese che nella guerra russo-giapponese del 1904-5 fu al centro di importanti operazioni militari (n.d.r.).

[5] Braccio di mare tra Mare Egeo e Mar Nero (Turchia), luogo di varie battaglie nel corso dei secoli (n.d.r.).

— Oh!

— È mezz'ora che siamo qui e non si vede il becco di una guardia.

— Son tutte nel centro della città.

— E sul luogo del pericolo?

— Centro e non centro...

Il cittadino di dodici anni era tenuto d'occhio.

— Bum!

— Oh!

— E se non fosse?

— Oh!

— Caspita!

S'aggiunse un cittadino senza professione.

Venne guardato con sospetto.

Egli considerava attentamente l'involucro.

Gli altri in cerchio, consideravano lui attentamente, senza perdere d'occhio nessuno, il cittadino di dodici anni in special modo.

Il cittadino senza professione guardava sempre più nel mezzo del viale l'oscuro involucro.

D'un tratto sembrò scattargli dentro una molla e vi si buttò deciso.

— Bum!

— Uh!

Si fece il largo che avrebbe fatto la bomba esplodendo.

I due pensionati, benché gottosi, fecero lanci da cavallette. La servuccia tirò mai tanto il braccio della bambina che sembrò avergliela staccato. Le ragazzine linfatiche come cagnolini pestati fuggirono guaendo. Il barrocciaio schiacciò un moccolo. Il frate tanto alzò la tonaca da mostrare i mutandoni bianchi che gli scendevano sotto il polpaccio.

Il cittadino senza professione rimasto solo e chinatosi, aveva rovesciato l'oggetto, scucito l'imballaggio.

A grande distanza, e ad occhi sbarrati, ne seguivano la manovra i fuggiaschi.

Giunsero due guardie municipali:

— Che cos'è?
— Un cestino di fichi secchi.
— Chi ve l'ha dato?
— Era qui.
— Date a noi.
— Ma io l'ho trovato.
— Per questo bisogna [...]

da *Tutte le novelle*
Mondadori, Milano 1957

• Spiegate il significato di queste parole:

affetto da	panierone
bazzecola	zelo
urto	involucro
servuccia	fuggiasco

• Che cosa vogliamo esprimere quando usiamo questi modi di dire?

1. Non si vede il becco di..., per esempio, una guardia
2. Una persona era tenuta d'occhio
3. Sembrò scattargli dentro una molla

o anche l'esclamazione:

4. Caspita!

• Adesso vogliamo fare del «teatro».

Ci alziamo tutti in piedi. Con il libro in mano ci mettiamo in cerchio, e dopo aver scelto ognuno un ruolo, ci caliamo nei rispettivi personaggi e leggiamo recitando questa scenetta in strada.

Incominciamo... allora, io faccio la... e tu?

• Chieda al suo vicino:

1. Le è piaciuto fare l'attore?
2. Le piacerebbe fare l'attore di professione?
   Perché si?
   Perché no?
3. Quali attori italiani conosce e quali preferisce?

- Raccontate adesso agli altri quello che vi ha detto il vostro vicino.
- Parliamo di:
  — Gli italiani e il loro modo di gesticolare, di parlare con le mani. Che cosa avete osservato in Italia o da conoscenti e amici italiani?
  — Quali gesti conoscete voi e quali significati hanno? Questo per esempio vuol dire... e questo...

Notizie letterarie

Aldo Palazzeschi (Aldo Giurlani) nacque a Firenze nel 1885, dove frequentò una scuola di recitazione, e dove conobbe Marino Moretti. Recitò per breve tempo nella compagnia di Lyda Borelli. Successivamente a Venezia frequentò la scuola commerciale di Ca' Foscari. Aderì al movimento futurista. Dal 1913 fino a quando entrò nel corpo del genio, durante la prima guerra mondiale, visse a Parigi, dove tornò successivamente. Nel 1941 si stabilì a Roma, dove rimase, allontanandosene per andare a Venezia durante l'estate, fino alla morte avvenuta nel 1974. Ha collaborato alle riviste «Lacerba» e «La Voce». Pubblicò le sue prime poesie in «Il Cavallo» e «Lanterna» (1905-1907). Il suo primo racconto è stato *Riflessi* (1908) ma il libro più importante rimane *Il codice di Perelà* (1911) dove narra le avventure di un uomo di fumo, in un'atmosfera ironica e fiabesca. L'umorismo costituisce l'elemento fondamentale della sua narrativa che indica agli spavaldi e ai prepotenti la fiducia nella verità e l'inquietudine dell'uomo moderno. Dalle poesie tra crepuscolari e futuriste deriva in gran parte il prosatore fantastico e grottesco.

Fra i suoi libri di narrativa hanno ottenuto particolare successo *Il re bello* (1921), *Le sorelle Materassi* (1934), *Il palio dei buffi* (1937), *I fratelli Cuccoli* (1948), *Roma* (1953), *Il Doge* (1967), *Storia di un'amicizia* (1971).

Glossario

La bomba

affetto da	malato di
bazzecola	cosa insignificante, di poco conto

urto	colpo
servuccia	serv-uccia: -uccia con valore diminutivo e vezzeggiativo (considerata con simpatia)
panierone	panier-one: -one con valore accrescitivo
imprudenza	mancanza di prudenza
zelo	diligenza, impegno nell'agire
cencio	pezzo di stoffa logora
balla	merci messe insieme e avvolte in stoffa per il trasporto
gottoso	ammalato di gotta
barrocciaio	chi per mestiere trasporta merci e materiali vari con un barroccio (carro con 2 o 4 ruote)
linfatico	di debole costituzione
il becco di un...	nessun...
tenere d'occhio	osservare attentamente e continuamente
caspita!	espressione di meraviglia, impazienza, contrarietà
involucro	oggetto ricoperto
cavalletta	insetto dannoso alle colture (da cavallo: forse per i salti che fa)
guaire	(detto del cane) abbaiare lamentosamente
scucire	aprire le cuciture; qui: aprire
fuggiasco	chi fugge per evitare pericoli

Umberto Eco

TUTTO BRUCIA

Tutto il pianoro era in preda al disordine. Ma si era appena all'inizio della tragedia. Perché, uscendo dalle finestre e dal tetto, la nube ormai trionfante delle scintille, incoraggiata dal vento, stava ricadendo ovunque, toccando le coperture della chiesa.

Non v'è chi non sappia quante splendide cattedrali siano state vulnerabili al morso del fuoco: perché la casa di Dio appare bella e ben difesa come la Gerusalemme celeste a causa della pietra di cui fa pompa, ma le mura e le volte si reggono su di una fragile, per quanto mirabile, architettura di legno, e se la chiesa di pietra ricorda le foreste più venerabili per le sue colonne che si diramano alte nelle volte, ardite come querce, della quercia ha sovente il corpo — come ha parimenti di legno tutto il proprio arredo, gli altari, i cori, le tavole dipinte, le panche, gli scranni, i candelabri. Così accadde per la chiesa abbaziale dal portale bellissimo che tanto mi aveva affascinato il primo giorno. Essa prese fuoco in un tempo brevissimo. I monaci e la popolazione tutta del pianoro capirono allora che era in gioco la sopravvivenza stessa dell'abbazia, e tutti si misero a correre ancora più bravamente e disordinatamente per far fronte al pericolo.

Certo la chiesa era più accessibile e quindi più difensibile della biblioteca. La biblioteca era stata condannata dalla sua stessa impenetrabilità, dal mistero che la proteggeva, dall'avarizia dei suoi accessi. La chiesa, aperta maternamente a tutti nell'ora della preghiera, a tutti era aperta nell'ora del soccorso. Ma non v'era più acqua, o almeno pochissima se ne poteva reperire depositata in quantità sufficiente, le sorgenti ne fornivano con naturale parsimonia e con lentezza non commisurata all'urgenza della bisogna. Tutti avrebbero voluto spegnere l'incendio della chiesa, nessuno sapeva ormai come. Inoltre il fuoco si era comunicato dall'alto, dove era difficile issarsi per battere le fiamme o soffocarle con terra e stracci. E quando le fiamme arrivarono da basso, era ormai inutile buttarvi terra o sabbia, ché il soffitto ormai rovinava sui soccorritori travolgendone non pochi.

Così alle grida di rimpianto per le molte ricchezze arse si stavano ora unendo le grida di dolore per i volti ustionati, le membra schiacciate, i corpi scomparsi sotto un repentino precipitar di volte.

Il vento si era fatto di nuovo impetuoso e più impetuosamente alimentava il contagio. Subito dopo la chiesa presero fuoco gli stabbi e le stalle. Gli animali terrorizzati spezzarono i loro legami, travolsero le porte, si sparsero per il pianoro nitrendo, muggendo, belando, grugnendo orribilmente. Alcune scintille raggiunsero la criniera di molti cavalli e si vide la spianata percorsa da creature infernali, da destrieri fiammeggianti che travolgevano tutto sul loro cammino che non aveva né meta né requie. Vidi il vecchio Alinardo, che si aggirava smarrito senza aver compreso cosa accadesse, travolto dal magnifico Brunello, aureolato di fuoco, trasportato nella polvere e ivi abbandonato, povera cosa informe. Ma non ebbi né modo né tempo di soccorrerlo, né di piangere la sua fine, perché scene non dissimili avvenivano ormai per ogni dove.

da *Il nome della rosa*
Bompiani, Milano 1980

• Come avete potuto constatare, il brano non è di facile lettura. Prima di passare agli esercizi guardiamo insieme i vocaboli spiegati nel glossario. Non è necessario impararne il significato come abbiamo fatto per gli altri racconti, perché molti di essi non li troviamo nella lingua parlata d'oggi e quindi è sufficiente capirne il significato, per facilitare la comprensione globale del testo letterario.

• Domande relative al testo:

1. Da dove uscivano le fiamme?
2. Perché molte chiese sono state distrutte dal fuoco?
3. C'era abbastanza acqua per spegnere l'incendio?
4. Quali grida si sentivano nell'aria?
5. Quale fu la fine del vecchio Alinardo?
6. Perché non c'era tempo per soccorrerlo?

• Raccontate...

Ricordate di aver letto sul giornale, o di aver visto immagini alla TV, di incendi terrificanti?

... per es. dell'incendio scoppiato nel novembre del 1987 alla stazione della metropolitana di King's Cross a Londra...

• Secondo voi...

Quali sono le reazioni umane a situazioni di panico come quella descritta nel brano letto?

• Parliamo di:

— Avete visto il film *Il nome della rosa*?
Ve ne ricordate la trama?

— Perché secondo voi il romanzo e il film hanno riscosso tanto successo?

— Quali pensate che siano le difficoltà che incontra un regista quando decide di fare un film tratto da un libro o da un romanzo?

— Quali registi italiani conoscete?
Quali preferite e perché?

— Quale film del vostro regista preferito vorreste rivedere?

— Guardate inoltre più volentieri i film italiani in lingua originale oppure li preferite tradotti nella vostra lingua madre? E cosa ne pensate dei sottotitoli? Vi piacciono?

Notizie letterarie

Umberto Eco è nato ad Alessandria (Piemonte) nel 1932. Insegna semiotica all'Università di Bologna, ha fatto parte del *Gruppo 63*. Si è occupato delle poetiche d'avanguardia, di storia dell'estetica e delle comunicazioni di massa. Ha esordito nel 1956 con un saggio sull'estetica medievale. Ha compiuto brillanti inchieste sulla cultura di consumo: *Diario minimo* (1963); *Il superuomo di massa* (1976); *Sette anni di desiderio* (1983).

Ha pubblicato nel 1980 il romanzo *Il nome della rosa*, che ha ottenuto nel 1981 il Premio Strega, e contemporaneamente uno straordinario successo su un piano mondiale, che lo pone ancora fra i grandi libri della narrativa contemporanea. In queste pagine si svolgono in un momento del Medioevo delitti misteriori, movimenti ereticali, vicende politiche e appassionanti ricerche filologiche condotte con rigore poliziesco.

Nel 1988 Eco ha pubblicato *Il pendolo di Foucault*, un libro complesso, non di facile lettura, dove ritorna il gusto per il racconto ideologico nel contesto del mistero trasferito nell'età contemporanea.

Glossario

Tutto brucia

pianoro	pianura situata in una zona elevata, fra altura e altura
copertura	ciò che copre (in questo caso, il tetto)
diramarsi	dividersi in derivazioni
sovente	(letterario) spesso
parimenti	(letterario) ugualmente
scranno	sedia dottorale con braccioli e schienale alto
abbazia	casa religiosa di monaci, costituita per lo piú da un complesso di fabbricati con terreno e chiesa propria
impenetrabilità	essere non accessibile
reperire	trovare

parsimonia	moderazione, scarsità
soccorritore	chi porta aiuto
arso	bruciato
ustionato	bruciato
repentino	improvviso
impetuoso	violento, aggressivo
contagio	qui: la diffusione del fuoco
nitrire, muggire, belare, grugnire	verbi che si riferiscono al verso di vari animali: rispettivamente, dei cavalli, delle mucche, delle pecore e dei maiali
criniera	insieme dei crini, peli sulla parte superiore del collo del cavallo
destriero	(letterario) cavallo di qualità
per ogni dove	dappertutto, dovunque

Pier Paolo Pasolini

IL MATTO E L'OLIVARO

A piazza dei Ponziani c'erano Enrico, il Matto e Salvatore. Li videro subito perché siccome la piazzetta era un po' fuori mano, era mezza vuota, che se ne stavano aggruppati all'angolo di Via dei Vascellari, sotto il bar.

Tommasino e gli altri gli andarono incontro, e si diedero la mano. I tre nuovi non si mossero nemmeno: rimasero con le schiene appoggiate contro il muro, con una gamba lunga e l'altra o col piede anch'essa contro il muro, o accavallata.

Stavano mezzo sbadigliando, in attesa, perché era quello lì il posto della puntata. Alzarono solo fiacchi fiacchi la mano destra, senza cambiare l'espressione beata e beffarda delle facce.

Così, forse per passare il tempo, si stavano allumando [1] l'olivaro, che si trovava dall'altra parte della strada, col secchio di legno delle olive sul selciato. [...]

Intanto, quello con gli occhi al neon, il Matto, si diresse smarmittato [2] ma deciso verso l'olivaro, seguito dallo sguardo dei compari.

«Dateme cinquanta lire d'olive, a sor maè!» [3] fece il Matto.

[1] *allumare*: guardare (n.d.r.).

[2] *smarmittato*: a passi indolenti (n.d.r.).

[3] *a sor maè*: appellativo gergale romanesco solitamente ironico (significato letterale: ''signor maestro''; l'iniziale *a* introduce in romanesco il nome o l'appellativo della persona cui ci si rivolge; è normale in romanesco il troncamento del nome o della parola con cui si appella l'interlocutore (qui: *maé* per *maestro*)) (n.d.r.).

Il sor maestro, ch'era un pecoraro venuto su da chissà che paesello dell'Abruzzo, guardò verso la mano del Matto che reggeva la grana [4], e allungò la sua per intascare. Il Matto gliela diede e quello stava ormai per appozzare il mestolo nell'acqua, incassando, quando s'accorse al tatto che la moneta era balorda [5]: la guardò e vide che erano cinquanta centesimi vecchi, d'una volta. Fece un sorriso micco [6]. «Nun so' bbone!» disse, con gli occhi che gli si illuminavano.

Il Matto non rise per niente. «Nun so' bbooone?» fece serio e acceso dall'indignazione. «Guarda che te sbaj, a morè [7]», aggiunse però subito, conciliativo, come con l'intenzione di mettere una pietra sopra la sua distrazione. Ma il neno [8] continuava a avere nella faccia un sorrisetto tonto, e lanciava occhiate fine a destra e a sinistra. Pure gli altri intanto s'erano accostati.

«Aòh, embè, me le dai o nun me le dai 'st'olive?» fece il Matto riperdendo di nuovo la pazienza.

«Tu damme li soldi bboni!» fece quello con gli spigoli che gli otturavano l'occhi.

Il Matto abbassò il capo guardando dal basso all'alto, e facendo schioccare un po' la lingua contro il palato come fosse amaro: e cominciò a voce bassa, riposata: «Nun so' bboni? Nun so' bboni?» Poi scattando: «Ma come te permetti de disprezzà 'sti soldi, a accattone? Lo sai che 'sti soldi c'hanno la storia? Daje, inzuccali [9]. E n'antra vorta attento a tte, sa', a distingue i soldi bboni! Ma guarda sì che s'ha da vede. Boh! Io te darebbe du' cazzottoni in bocca!»

L'olivaro continuava a ridere alla vergognosa [10]. «Questi so' l'unici soldi veri che ce so' stati in Italia,» aggiunse gridando

[4] *la grana*: soldi (n.d.r.).
[5] *balorda*: fuori corso (n.d.r.).
[6] *micco*: stupido (n.d.r.).
[7] *a morè*: appellativo gergale romanesco (significato letterale: ''moretto''; per l'iniziale *a* e per il troncamento della parola vedi la nota [3]) (n.d.r.).
[8] *il neno*: il vecchio, l'olivaro (n.d.r.).
[9] *inzuccali*: intascali (n.d.r.).
[10] *alla vergognosa*: con un po' di timore, di preoccupazione (n.d.r.).

da lontano Salvatore, «a deficiente! E dacce pure er resto, sbrighete!»

da *Una vita violenta*
Garzanti, Milano 1959

• Ricercate nel testo:

1) quali espressioni usa Pasolini per descrivere i ragazzi di cui si parla
2) quali frasi usa per descrivere ''il Matto''
3) quali frasi usa per descrivere ''l'olivaro''

• Insieme all'insegnante rilevate le caratteristiche del dialetto romanesco parlato da questi ragazzi.

per esempio: oliv*aro* invece di oliv*aio*

• Fate il riassunto di questo racconto e se avete un po' di fantasia, o per meglio dire se siete ispirati, aggiungete quello che secondo voi avranno fatto dopo questi ragazzi.

(In piazza / i tre nuovi / il Matto / l'olivaro / la grana / reazione dell'olivaro / reazione del Matto / Salvatore / ...)

• Parliamo di:

— Pasolini
Sapete qualcosa di lui?
Avete visto qualche suo film? Quale?
Avete letto qualcosa di Pasolini, eventualmente tradotto nella vostra lingua?

• Mettiamo a confronto:

— Consideriamo i dialetti e la lingua italiana ''pura''
(importanza del dialetto / diffusione / le difficoltà dei bambini a scuola se... / ecc...)

— Chiedete al vostro insegnante, se di madrelingua italiana, di dirvi alcune frasi del dialetto della sua regione, naturalmente con relativa ''traduzione''. Come suonano le frasi in dialetto?

— E nel vostro paese i dialetti sono diffusi oppure sono sempre meno le persone che parlano il dialetto?

Pier Paolo Pasolini

Domanda. Sei nato a Bologna vero? In che anno?

Risposta. Nel 1922.

D. Qual è il primo ricordo che hai della tua infanzia?

R. Mi ricordo di quando avevo un anno. Ricordo la camera dove dormivo. Era la sala da pranzo e la mia culla stava in un angolo addossata al muro. Di fronte c'era una grande alcova di legno dove dormiva la mia nonna. Ricordo anche un divano che poi ci ha seguiti per tutta la vita. Il bracciolo di questo divano si rovesciava e scopriva la struttura di legno. Io su questo legno disegnavo con la matita un'automobile e la chiavamo Ru-pepé.

D. Hai una memoria molto buona. Ricordi altro?

R. Ricordo i Giardini Margherita; una strada di Bologna dove passeggiavo con una mia zia e davanti a lei usavo impuntarmi perché volevo tornare a casa in carrozza. Hanno cercato di convincermi, mi hanno sgridato. Ma ho vinto io. I miei capricci erano violenti e assoluti.

D. Sono ricordi piacevoli o spiacevoli?

R. Né una cosa né l'altra, come i sogni. Uno soprattutto ha qualcosa di terribile: c'era una stanza con delle grandi tende bianche e sotto, nel vicolo, passavano i cavalli con le carrozze. Il tonfo di quegli zoccoli mi metteva paura, ma nello stesso tempo mi affascinava come qualcosa di magico e di misterioso.

D. Tuo padre che mestiere faceva?

R. Mio padre era ufficiale di fanteria. Nei primi anni della mia vita per me lui è stato più importante di mia madre. Era una presenza rassicurante, forte. [...]

da *E tu chi eri? Interviste sull'infanzia*
di Dacia Maraini
Bompiani, Milano 1973

Notizie letterarie

Pier Paolo Pasolini nato a Bologna nel 1922, ha compiuto i suoi studi in varie città italiane dovendo seguire il padre ufficiale, nelle diverse destinazioni; dopo varie vicende si è laureato in lettere a Bologna; per qualche tempo ha fatto l'insegnante. Si è sempre interessato di studi filologici, specialmente nel rapporto fra società e letteratura; nel 1942 ha pubblicato una raccolta di poesie, *Poesie a Casarza.*

Trasferitosi a Roma si è dedicato al cinema come soggettista e regista. Nel 1949 ha dato alla stampa il suo primo romanzo, *Il sogno di una cosa.* È morto tragicamente nel 1975.

Pasolini resterà quasi certamente uno degli esponenti della letteratura degli anni cinquanta della complessa produzione letteraria contemporanea. Egli ha indagato in opere di forte e chiara incisività la condizione incerta e tuttavia desiderosa di correzioni della società, con un impegno sinceramente realistico, inteso a rinnovare la tradizione letteraria italiana, allontanandosi da un certo neorealismo ormai decadente e dall'impeto rivoluzionario delle avanguardie.

Fra i temi a lui più cari emerge quello della questione della lingua italiana moderna; fondamentali in proposito risultano i suoi interventi in *Passione e ideologia* (1969) e *Empirismo eretico* (1972).

Alcune delle sue opere sono state soggetti di film.

Pasolini è autore fra l'altro delle opere narrative, come, *Ragazzi di vita* (1955), *Una vita violenta* (1959), *Accattone* (1967), *Teorema* (1970).

Glossario

Il Matto e l'olivaro

ruberia	azione di ladri, rapina
scorribanda	veloce incursione
fuori mano	in una zona non centrale
accavallare	mettere due cose una sull'altra
puntata	incursione
fiacco	che non ha forza
beffardo	che rivela scherno o ironia
compare	compagno, amico
reggere	tenere

appozzare	immergere in un liquido
indignazione	vivo risentimento
accattone	chi vive mendicando abitualmente lungo le strade, mendicante
cazzottone	grosso e forte pugno
deficiente	cretino, imbecille

NON HO PAROLE

Io non ho parole per manifestare la sorpresa. Tu non hai parole per esprimere il profondo rammarico. Egli non ha parole per esternare la gratitudine. Noi non abbiamo parole per ringraziarvi di non aver avuto parole. [...] Essi non avranno mai parole per la commozione che le nostre parole.

C'è un'Italia traboccante di parole nuove [...] e c'è un'Italia pubblica e privata che continua a non aver parole, tira avanti con le sue frasi, i suoi atteggiamenti, i suoi riti.

Io mi ritrovo dopo tanti anni ad avere ancora parole.

[...]

E così continuo a raccontare cose mie a gente che sta a Bolzano, a Catania o a Sulmona e questa gente trova che le cose mie sono anche un po' sue.

[...] di solito parlo di quelle cose mie che sono cose di tutti. Stavolta parlerò di cose un po' più mie e se qualcuno non le troverà abbastanza sue, potrà saltare a pagina ventitré.

[...]

LUCA GOLDONI
da *Non ho parole*
A. Mondadori, Milano 1978

...e con questo gioco di parole vorrei concludere questa antologia dicendovi, se mi permettete, che:

— non ho parole per ringraziarvi di avermi seguita fin qua,

— non ho parole per ringraziare i miei allievi del Corso

di Conversazione di Harras, Monaco di Baviera, per avermi manifestato così apertamente il loro apprezzamento per questo materiale didattico;

— non ho parole per ringraziare:

Manfred Zimmer, Hueber Verlag, Ismaning/Monaco di Baviera

Carmela Betancourt, Volkshochschule, Monaco di Baviera

Davide Verri, Carpi di Modena

— non ho parole per ringraziare Stefano Urbani, Di.L.It., Roma per il prezioso contributo fornito

e non per ultimo l'editore Giorgio Bonacci, per la fiducia riposta in questo lavoro.

Si ringraziano inoltre gli autori e gli editori che hanno gentilmente concesso l'autorizzazione a riprodurre i brani riportati in questo volume

L'Autore

Finito di stampare
nel mese di settembre 1994
dalla Tibergraph s.r.l.
Città di Castello (PG)

L'italiano per stranieri

Amato • ***Mondo italiano***
testi autentici sulla realtà sociale e culturale italiana
libro dello studente
quaderno degli esercizi

Ambroso e Stefancich • ***Parole***
10 percorsi nel lessico italiano - esercizi guidati

Avitabile • ***Italian for the English-speaking***

Battaglia • ***Grammatica italiana per stranieri***

Battaglia • ***Gramática italiana para estudiantes de habla española***

Battaglia • ***Leggiamo e conversiamo***
letture italiane con esercizi per la conversazione

Battaglia e Varsi • ***Parole e immagini***
corso elementare di lingua italiana per principianti

Bettoni e Vicentini • ***Imparare dal vivo*****
lezioni di italiano - livello avanzato
manuale per l'allievo
chiavi per gli esercizi

Buttaroni • ***Letteratura al naturale***
autori italiani contemporanei con attività di analisi linguistica

Cherubini • ***L'italiano per gli affari***
corso comunicativo di lingua e cultura aziendale

Diadori • ***Senza parole***
100 gesti degli italiani

Gruppo META • ***Uno***
corso comunicativo di italiano per stranieri - primo livello
libro dello studente
libro degli esercizi e sintesi di grammatica
guida per l'insegnante
3 audiocassette

Gruppo META • ***Due***
corso comunicativo di italiano per stranieri - secondo livello
libro dello studente
libro degli esercizi e sintesi di grammatica
guida per l'insegnante
4 audiocassette

Gruppo NAVILE • ***Dire, fare, capire***
l'italiano come seconda lingua
libro dello studente
guida per l'insegnante
1 audiocassetta

Humphris, Luzi Catizone, Urbani • ***Comunicare meglio***
corso di italiano - livello intermedio-avanzato
manuale per l'allievo
manuale per l'insegnante
4 audiocassette

Istruzioni per l'uso dell'italiano in classe
88 suggerimenti didattici per attività comunicative

Marmini e Vicentini • ***Imparare dal vivo****
lezioni di italiano - livello intermedio
manuale per l'allievo
chiavi per gli esercizi

Marmini e Vicentini • ***Ascoltare dal vivo***
manuale di ascolto - livello intermedio
quaderno dello studente
libro dell'insegnante
3 audiocassette

Radicchi e Mezzedimi • ***Corso di lingua italiana***
livello elementare
manuale per l'allievo
1 audiocassetta

Radicchi • ***Corso di lingua italiana***
livello intermedio

Radicchi • ***In Italia***
modi di dire ed espressioni idiomatiche

Spagnesi • ***Dizionario dell'economia e della finanza***

Totaro e Zanardi • ***Quintetto italiano***
approccio tematico multimediale - livello avanzato
libro dello studente
quaderno degli esercizi
2 audiocassette
1 videocassetta

Urbani • ***Senta, scusi...***
programma di comprensione auditiva con spunti di produzione libera orale
manuale di lavoro
1 audiocassetta

Urbani • ***Le forme del verbo italiano***

Verri Menzel • ***La bottega dell'italiano***
antologia di scrittori italiani del Novecento

Vicentini e Zanardi • ***Tanto per parlare***
materiale per la conversazione - livello medio avanzato
libro dello studente
libro dell'insegnante